AGORA QUE ELE SE FOI

Elizabeth Acevedo

Tradução: Karine Ribeiro

AGORA QUE ELE SE FOI

Diretor-presidente:
Jorge Yunes
Gerente editorial:
Luiza Del Monaco
Coordenação editorial:
Ricardo Lelis
Edição:
Júlia Braga Tourinho
Preparação de texto:
Bruna Miranda
Revisão:
Solaine Chioro
Coordenação de arte:
Juliana Ida
Assistente de arte:
Daniel Mascellani
Diagramação:
Valquíria Palma
Projeto de capa:
Vitor Castrillo
Ilustração de capa:
Limão
Analista de marketing:
Michelle Henriques
Assistência de marketing:
Heila Lima

Título original: *Clap when you land*

© Elizabeth Acevedo, 2020
© Companhia Editora Nacional, 2021

Todos os direitos reservados. Nenhuma parte desta obra pode ser reproduzida ou transmitida por qualquer forma ou meio eletrônico, inclusive fotocópia, gravação ou sistema de armazenagem e recuperação de informação sem o prévio e expresso consentimento da editora.

1ª edição – São Paulo

DADOS INTERNACIONAIS DE CATALOGAÇÃO NA PUBLICAÇÃO (CIP) DE ACORDO COM ISBD

A174a	Acevedo, Elizabeth
	Agora que ele se foi / Elizabeth Acevedo ; traduzido por Karine Ribeiro. - São Paulo, SP : Editora Nacional, 2021.
	296 p. ; 16cm x 23cm.
	Tradução de: Clap when you land
	ISBN: 978-65-5881-018-6
	1. Literatura americana. 2. Romance. I. Ribeiro, Karine. II. Título.
2021-450	CDD 869.89923
	CDU 821.134.3(81)-31

Elaborado por Vagner Rodolfo da Silva - CRB-8/9410

Índice para catálogo sistemático:
1. Literatura americana : Romance 869.89923
2. Literatura americana : Romance 821.134.3(81)-31

NACIONAL

Rua Gomes de Carvalho, 1306 – 11º andar – Vila Olímpia
São Paulo – SP – 04547-005 – Brasil – Tel.: (11) 2799-7799
editoranacional.com.br – atendimento@grupoibep.com.br

Para o meu grande amor, Rosa Amadi Acevedo,
e minha irmã, Carid Santos

------◆-------

Em memória das vidas perdidas no voo 587 da American Airlines

El corazón de la auyama,
sólo lo conoce el cuchillo.
– Provérbio dominicano

Camino ✈ Yahaira

Conheço a lama muito bem.

Sei que quando uma rua não tem calçadas
& a água inunda o piso de ladrilho das casas,
entender a lama é entender a linguagem da sobrevivência.

Conheço a lama muito bem.
Sei como Tía vai me ameaçar com um pano de prato se eu a trouxer para dentro.
Como será preciso colocar a cama para o alto durante a temporada de furacões.

Como a lama, seca   & teimosa, agarra no sapato.
Ou na parede. No cachorro Vira Lata e nos pés descalços.
Sei que há lama que espirra quando o *motoconcho* passa.

Lama que suga & mastiga os saltos altos
das trabalhadoras que um dia frequentaram a escola comigo.
Lama que amolece,   que se torna uma estrada a lugar nenhum.

& lama tem mente própria. Quer embrulhar
seus mocassins, abraçar a saia do seu uniforme.
Beijar seus joelhos & te fazer escorregar para conhecê-la.

— Não deixe a lama te sujar — Tía sempre disse. —
Será que ela não consegue ver? O lugar de onde somos
já deixou suas marcas em mim.

Gastei noites limpando as solas dos meus pés,
pano sujo em um balde, desfazendo essa marca de lugar.
Ser deste *barrio é* ser feito desta terra & argila:

sujo, empoçado, coisa de terceiro mundo:
dizem, o solo debaixo das unhas de uma nação, dizem.
Amo meu lar. Mas talvez seja um buraco

tentando se banquetear   areia movediça
boca escancarada; tenho fome de solo estável,

                                        em outro lugar.

------◆-------

Esta manhã, acordo
às cinco. Lavo minhas mãos & rosto.
Há uma mulher com câncer,

uma pedrinha,
inchando sua barriga,
& Tía Solana precisa da minha ajuda para cuidar dela.

Desde que aprendi a andar,
grudei em Tía,
mesmo quando Mamá ainda era viva.

Tía & eu somos tranquilas.
Não implico com suas regras.
Ela não impõe nenhuma desnecessária.

Somos quietas de manhã.
Ela me passa um pedaço de pão do tamanho da palma;
preparo café no bule para ela.

Quando o galo de Don Mateo canta,
trancamos a casa, o facão de Tía escondido na bolsa.
O sol espalha tons rosa pelo céu.

Vira Lata espera do lado de fora do portão.
Tecnicamente ele é o bicho de estimação da vizinhança toda,
um cão sem nome, só se sabe que vaga por aí;

desde que era filhote dorme do lado de fora de nossa porta,
& ainda que eu não pense nele como sendo só meu,
sei que ele pensa que eu sou dele.

Jogo para ele um pedaço de pão,
& ele corre ao nosso lado até a mulher com câncer,
cuja porta da frente não tem tranca.

De qualquer forma, Tía bate antes de entrar.
Não franzo a sobrancelha nem aperto os lábios diante do cheiro
de corpo sujo. Com a cabeça, Tía indica a mulher;

ela diz que eu tenho um toque mais suave que o dela.
Murmuro um olá; a mulher se agita em resposta;
sente dor demais para dizer qualquer coisa,

& já que vive sozinha, não temos a quem perguntar
como ela está. Massageio sua
testa. Está fria, o que é uma benção.

Ela se acomoda com um suspiro profundo assim que eu a toco.

Levo a garrafa de água que Tía me entrega
até os lábios dela; quase sem se mexer, ela bebe.
Dizem que um dia ela foi uma linda mulher.

Levanto o cobertor que Tía colocou
ao redor dela na última vez que estivemos aqui
& gentilmente pressiono meus dedos em sua barriga coberta pela camisola.

A barriga está dura quando a toco.
Tía queima incenso em todos os cantos
da pequena casa. A mulher não se mexe.

Num momento assim, é fácil
querer falar sobre esta mulher,
dizer a Tía que não há nada mais que possamos fazer,

dizer em voz alta que ela tem sorte
que seus pulmões ainda aguentam respirar.
Mas aprendi cedo a não falar

dos moribundos como se já estivessem mortos.
Não se chama espíritos maus para o cômodo,
& não se mancha a dignidade de uma pessoa

fingindo que ela não
está mais viva, & diante de você
& talvez prestes a receber um milagre.

Não se deve deixar palavras atrapalharem possibilidades desconhecidas.

Então não digo que sua morte parece inevitável.
Em vez disso, coloco uma mecha de seu cabelo atrás da orelha
& repouso minhas mãos em sua barriga – entoando

rezas com Tía
& esperando que quando formos embora
Vira Lata, & não a morte, seja a única coisa a aparecer.

------◆------

Tía é o único amor da minha vida,
a mulher que um dia quero ser,
de sobrancelhas arqueadas e mãos calejadas,

um buço peludo sobre uma boca
que viu morte & doenças & mágoas,
mas nunca se esqueceu de sorrir ou de contar uma piada imprópria.

Por causa dela, também conheci morte
& doença & vida & cura.
& observei cada gesto de Tía

até que pudesse ler o código Morse
feito das gotas de suor em sua testa.
Então, quando digo que quero ser médica,

sei exatamente o que significa.

Essa cura está no meu sangue.
& todos aqui sabem
que as mais respeitadas faculdades de medicina

estão nos Estados Unidos.
Quero pegar o que aprendi
com a vida de Tía dedicada ao amparo & construir uma vida

em que eu possa ajudar os outros.

Muitas vezes
o cheque de Papi chega atrasado,
& temos que contar

quantos ovos ainda temos,
ou quanto tempo a carne vai durar.
Não quero que Tía & eu vivamos assim para sempre.

Vou conseguir.
Vou conseguir.
Vou conseguir uma vida mais fácil para nós.

-------◆-------

O Dia

Começo a aprender
que notícias que mudam a vida
geralmente são como partos prematuros:

inesperados, nos pegam desavisados,
emocionalmente despreparados
& por vezes onde não deveríamos estar:

------◆------

Estou perdendo a prova de matemática.
Papi vai pegar um táxi quando chegar,
mas matei as últimas duas aulas para poder esperar no aeroporto.

Vou compensar a prova amanhã, me convenço.
A chegada de Papi, para mim, é um feriado nacional,
& não me importo se ele não vai gostar.

(Ele me lembra uma vez por semana que não paga
pela minha educação cara para que eu mate aula ou reprove.
Mas ele não deveria se estressar, pois sou sempre a aluna-destaque.)

Também sei que Papi vai estar secretamente exultante.
Ele ama ser amado. & sua garota favorita esperando no aeroporto
com um cartaz & um sorriso – há recepção melhor?

Faz nove meses que ele esteve aqui,
mas, como sempre, ele pega o voo no primeiro fim de semana de junho,
& parece que Tía & eu estamos cozinhando há dias!

Temperando & cozinhando carne de cabra, mexendo uma panelona de *sancocho*.
Todos os pratos favoritos de Papi estarão à mesa esta noite.
É nisso em que penso quando imploro a Don Mateo por uma *bola* para o aeroporto.

Ele trabalha na cidade ao lado da pista de pouso,
então sei que ele está reclamando só porque, como seu galo,
ele é mal-humorado e acostumado à rotina.

Ele resmunga até quando beijo sua bochecha em agradecimento,
se bem que o vejo ir embora com um sorriso.
Espero no terminal, puxando a bainha da saia do meu uniforme,

sabendo que Papi ficará nervoso & inquieto com o quão curta ela é.
Olho para o telão, mas não há o número do voo dele.
Uma multidão de pessoas cerca o telão.

(Tía tem uma teoria
de que quando notícias ruins estão chegando
os Santos tentam te avisar:

eriçam o cabelo
da sua nuca,
arrepiam

sua espinha,
te dizem *cuidado cuidado*
cuidado, muchacha.

Ela diz que, talvez,
se você ficar quietinha o bastante,
rezar o bastante,

os Santos mudarão o destino
em seu favor.
O ar-condicionado de Don Mateo estava quebrado

& o ar quente me deixou suada,
me fazendo abanar a blusa para ventilar o colo.
De repente   uma calmaria.

Um calafrio invade as barreiras do meu corpo,
um tremor sacode as minhas mãos.
Meus pés   não   se movem.)

------◆------

Um funcionário da companhia aérea
& dois seguranças
se aproximam da multidão

como gatos de rua
acostumados a serem chutados,
& assim que o funcionário

diz a palavra *acidente,*
o linóleo se abre
                uma mandíbula que range,

um estômago sem fundo,
             sou engolida
por essa verdade feita de dentes de tubarão.

Papi não estava aqui em Sosúa no dia em que nasci.
Então, Mamá segurou a mão de sua irmã, Tía Solana,
enquanto dava à luz.

Sempre amei a expressão:

dar à luz

Eu era o presente da minha mãe ao sol de sua vida.

Ela orbitava em torno do meu pai,
o clássico satélite distante
que chegava perto o bastante para eclipsá-la uma vez por ano.

Mas naquele ano, o ano em que nasci, ele estava ocupado
em Nova York. Nos mandou dinheiro e um nome.
Disse à Mamá para me chamar de Camino.

Há dezesseis anos, o dia em que nasci foi preenchido por luz.
Tía me contou. Foi o único aniversário que Papi perdeu.
Um dia ensolarado de julho. Mas parece que este ano ele perderá de novo.

Porque as pessoas no aeroporto estão gemendo, chorando,
com as mãos erguidas: caiu, elas dizem. Caiu.
Elas dizem   que o avião caiu do céu.

Sempre foi mais fácil aceitar o afeto de Papi
do que aguentar suas desculpas. Mais fácil aproveitar
a presença dele do que suportar a sombra de sua ausência.

Todo ano ele me pergunta o que eu quero de presente de aniversário.
Desde que minha mãe morreu, sempre respondi:
— Morar com você. Nos Estados Unidos. —

Ouvi-o falar tantas vezes de Nova York que você pensaria
que nasci naquela cidade. Às vezes parece que tenho
lembranças dos bilhares dele, do *colmado* de Tío, do Yankee Stadium,

como se fossem lugares em que cresci,
& não só as histórias que ele conta
desde que eu era uma *chamaquita* em seu colo.

No outono, começarei o último ano na Escola Internacional.
Meu plano sempre foi me inscrever
& frequentar a Columbia University.

Ano passado, contei para Papi sobre esse sonho de cursar medicina
naquela prestigiosa universidade, no coração da cidade
que ele chama de lar. & ele riu.

Ele disse que eu poderia ser médica aqui. Disse
que seria melhor para mim visitar a Colômbia, o país,
do que ele gastar dinheiro com outra escola chique.

Eu não o acompanhei no riso. Ele deve ter percebido
que seu riso era como um daqueles picadores de papel
fazendo das minhas esperanças um confete triste.

Ele não se desculpou.

------◆-------

É um engano, eu sei.
Um avião não caiu.
O avião do meu pai não caiu.

& se, *se*, um avião caiu
é claro que meu pai
não estava nele.

Ele saberia
que aquela carcaça de metal estava condenada.
Os Santos de Tía teriam avisado.

Seria como nos filmes,
quando o táxi vira na rua errada,
ou misteriosamente o despertador não toca

& Papi estaria lutando
para chegar ao aeroporto só para descobrir
que foi salvo. Salvo.

É nisso que penso na longa volta para casa.
Por seis quilômetros eu olho para a rua & ignoro
os homens que mexem comigo. Sei que Don Mateo viria me buscar

se eu ligasse, mas me sinto congelando
de dentro para fora. As únicas coisas funcionando
são meus pés avançando & a minha mente

ultrapassando meus pés.

Eu penso em possibilidade após possibilidade;
amaldiçoo todas as pessoas naquele voo,
mas salvo meu pai na minha imaginação.

Ignoro as notificações das notícias
chegando no meu celular.
Não abro as redes sociais.

Quando chego no meu *callejón*,
sorrio para os vizinhos
& sopro beijos para Vira Lata.

Não é verdade, ok?
Meu pai *não* estava naquele avião.
Eu me recuso.

Todo ano, Papi embarca no mesmo voo.

Tía & eu somos como os ponteiros de um relógio:
preparamos nossas atividades em função da chegada dele.
Nos preparamos para suas histórias exageradas

de empresários que reclamam sobre suco de tomate
& comissárias de bordo que lhe dão uma piscadinha.
Ele nunca dorme nos voos; ao invés disso, joga xadrez no *tablet*.

Ele me deu um no meu aniversário ano passado,
& antes de embarcar esta manhã,
nós fizemos uma chamada de vídeo.

Eles dizem que ainda é cedo para saber de sobreviventes.

Estou tão acostumada com sua ausência
que isso tudo parece mais atraso do que morte.
Quando chego em casa, Tía já viu a notícia.

Ela me abraça forte & me balança para a frente e para trás,
eu não me junto a ela no lamento *ay ay ay*.
Estou tão dura quanto um pano sujo deixado no sol.

Tía diz que estou em choque. & acho que ela está certa.
Sinto que fui atingida por um raio.
Quando um vizinho chega, Tía me solta.

Eu me sento em *el balcón* & me balanço na cadeira favorita de Papi.

Quando Tía vai dormir, fico de pé na frente do altar
que ela dedicou aos nossos ancestrais. É um baú velho, coberto
por um pano branco, atrás da mesa da sala de jantar.

É um dos lugares onde rezamos e colocamos nossas oferendas.
Pego um dos charutos que Tía deixou lá. Cuidadosamente, corto
a ponta, acendo, e por um momento considero beijar

a pequena chama azul. Levo minha boca até o cigarro. Inspiro.
Seguro a fumaça nos meus pulmões
até que a dor pressione meu peito

& tusso & tusso & tusso,
arquejando por ar,
lágrimas brotando dos meus olhos.

Eu me balanço balanço balanço até que o sol apareça acima das árvores.
Tento escutar o ronco do motor de um táxi,
o riso alto de Papi, sua voz de trombone

dizendo quão feliz
ele está por, enfim, chegar em casa...
Sabendo que nunca mais o ouvirei novamente.

Camino ✈ Yahaira

Quando recebemos notícias que mudam nossas vidas,
geralmente estamos nos lugares mais comuns.

Estou almoçando, sentada em um canto com Andrea
ou Dre, embora eu seja a única pessoa que a chame assim.

Ela está falando sobre o protesto contra as mudanças climáticas
enquanto folheio uma revista.

Dre está definindo onde encontrará os organizadores
& as demandas que farão na prefeitura

quando a voz chiada da sra. Santos
soa no autofalante:

Yahaira Rios. Yahaira Rios.
Por favor, compareça à diretoria.

Sinto que todos estão me olhando.
Entrego a revista a Dre, lembrando-a

de não dobrar nenhuma das páginas,
pois a revista pertence à biblioteca.

Pego um passe do professor que está tomando conta do almoço,
mas o sr. Henry, o guarda,

sorri quando eu tento entregá-lo.

— Escutei quando te chamaram, menina.
Não acho que você tentaria matar aula mesmo. —

Seguro um suspiro. No xadrez
eu costumava ser conhecida por correr riscos.

Mas na vida real? Sou previsível:

sigo instruções quando são dadas
& raramente quebro as regras.

Todo sábado, Dre e eu
assistimos Netflix ou lemos blogs de moda

ou, se ela está no comando da diversão,
assistimos tutoriais de jardinagem no YouTube

(que eu finjo entender
simplesmente porque tudo o que ela ama

eu amo observá-la assistir).

Os boletins de progresso dos professores
sempre têm os mesmos comentários:

quietinha em sala de aula, mostra potencial
precisa se esforçar mais.

Eu sigo regras. Sou uma pessoa cujo
boletim sempre diz: *dentro do esperado.*

Eu não me supero. Não fico abaixo da meta.
Eu chego & faço o que tenho que fazer.

Então não sei por que alguém na diretoria
quer me ver.

Como eu poderia imaginar?
Mesmo quando os professores nos corredores ficavam sem palavras conforme
   a notícia se espalhava,

mesmo quando a diretoria estava cercada de pais
& conselheiros. Como eu poderia saber que

não há regras, expectativas, preparações para este momento?
Quando você fica sabendo de notícias assim, há somente

a queda.

Eu revivo aquele momento de novo & de novo,
rondando-o como um avião que segue um padrão.

Como naquela manhã, no quinto dia de junho,
a pior coisa que eu poderia imaginar

seria ter minha atenção chamada pelo desempenho no meu boletim
ou ser convidada a voltar ao clube de xadrez.

Eu não sabia que há três horas,
quando cheguei na escola,

antes do almoço ou de Dre ou da longa caminhada pelo corredor,
a porta para a minha antiga vida se fechava.

Quando entro na diretoria, Mami está lá.
Usando *chancletas*, o cabelo preso em bobes.

& é isso o que denuncia o que está acontecendo:

Mami gerencia um spa bacana na cidade
& diz que sua aparência bem-arrumada é propaganda.

Ela nunca sai de casa estando menos
do que perfeita.

A assistente do diretor, sra. Santos,
sai detrás da mesa,

envolve meus ombros com um braço.
Parece que esteve chorando.

Quero me desvencilhar dela.
Quero empurrá-la de volta à mesa.

Aquele braço está tentando me dizer
algo que eu não tenho estômago para ouvir.

Eu não quero que ela me conforte. Não quero
Mami aqui, ou o que quer que esteja acontecendo.

Respiro fundo, do jeito que fazia
antes de entrar numa sala

onde todas as pessoas
queriam me ver perder. — Ma? —

Quando ela olha para mim, percebo que seus olhos
estão vermelhos & inchados, o lábio inferior treme,

& ela pressiona as pontas dos dedos ali
como se pudesse criar uma barreira contra o choro que está prestes a explodir.

Ela diz: — *Tu papi.*

-------◆-------

O voo

em que Papi estava decola
sem incidentes na maioria das vezes, me dizem.

Sai do JFK International Airport & pousa
em Puerto Plata exatamente três horas & trinta e seis minutos depois.

Rotina, me dizem, um voo de rotina, com o mesmo tipo de avião que voa
diariamente & passa por manutenção & tem um piloto experiente & deveria ter
pousado tranquilamente.

Mami diz que o pânico atingiu ao mesmo tempo a maioria das famílias que
esperavam.
Aqui, em Nova York, com o Atlântico entre nós,

ficamos sabendo bem antes. Trinta minutos depois que o avião
decolou, foi reportado que a cauda partiu,

que, assim como uma criatura que caça e pesca,
o avião mergulhou na água

completamente na vertical, faminto
por só Deus sabe
qual... presa.

Afundou.

------◆------

Eu assino minha saída da escola.
Ignoro os pêsames da sra. Santos.

Mami ainda chora.
Vamos ao meu armário.

Deixo meus livros no refeitório.
Mami ainda chora.

Deixo a escola sem dizer adeus à Dre.
Mami não consegue parar de chorar.

O sr. Henry acena. Eu aceno de volta.
Aqui fora o dia está lindo.

Mami chora.
O sol brilha.

A brisa é um toque suave no meu rosto.
Mami ainda chora.

É quase como se o dia tivesse se esquecido
de que roubou o meu pai   ou talvez esteja comemorando que o ganhou.

Mami ainda chora,
mas meus olhos? Permanecem secos.

Por mensagem, fico sabendo que sou uma dos quatro estudantes
que foram chamados à diretoria por causa do voo.

Na vizinhança, *las vecinas* estão agitadas
em suas *batas* & *chancletas*,

todas tentando descobrir
o que a TV parece não saber:

Quem estava no voo? É verdade que estão todos mortos?
Foi um ataque terrorista? Uma conspiração qualquer? O governo?

Quando as mulheres chamam Mami,
ela não vira a cabeça na direção delas.

Andamos da escola até nosso apartamento
como se fôssemos nós os fantasmas.

Os *bodegueros* & Danilo, o alfaiate,
& os donos das lojas

estão na porta dos estabelecimentos
fazendo ligações enquanto *viejitos*

torcem as mãos na frente do corpo
& balançam a cabeça.

Aqui em Morningside Heights,
somos uma mistura de pessoas: dominicanos

& porto-riquenhos & haitianos,
afro-americanos & pessoas brancas de Riverside Drive

& é claro, os estudantes da Columbia
que atrapalham tudo: ignorantes às nossas alegrias & dores.

Mas todos aqueles de nós que vêm da ilha
conhecem alguém que morreu naquele voo.

Quando chegamos no nosso prédio,
Dona Gonzales do quinto andar

chama de sua janela,
pero Mami não olha para cima,

não olha para os lados, não para
até passarmos pela porta de nosso apartamento,

& então, como se perfurada, ela murcha,
desliza até o chão

com a cabeça nas mãos, & eu observo
os bobes se soltarem um a um, conforme o corpo treme

& ela desmorona. Eu não me junto a ela.

Em vez disso, coloco meus braços debaixo dos delas,
ajudo-a a se levantar & a entrar no quarto.

Quando o telefone começa a tocar,
eu atendo & murmuro para a família.

Assumo o comando que ninguém mais consegue.

Verão passado, quando descobri o segredo de meu pai,
foi como se portões trancassem a minha boca:

nenhuma palavra poderia escapar. Aquelas palavras que descobri
deveriam ser protegidas a todo custo. Até de minha família.

Papi pensou que meu silêncio era por conta do xadrez.
Porque eu estava com raiva da desaprovação dele.

Ele nem sequer pensou que meu silêncio
fosse por estar decepcionada com ele. Com o que descobri.

Mas embora eu tenha sentido que ele se tornou um estranho,
nunca deixei de ser a mesma filha de sempre.

Que fazia as tarefas & não incomodava ninguém.
Mesmo agora, não é um hábito do qual eu consiga me livrar.

Eu tiro o lixo. Ponho as sobras no micro-ondas.
Embrulho os sentimentos que não posso compartilhar,

um pacote que não foi aberto, um presente que ninguém quer.

Camino ✈ Yahaira

Um dia depois

No dia após a queda,

ainda sem mortes confirmadas,
minha amiga Carline vem aqui antes do trabalho,
me abraça firme, sua barriga inchada entre nós,

mas eu logo me afasto.
Tenho medo de quebrá-la.
Tenho medo de me quebrar.

Ela fica em silêncio. Segura minha mão entre as suas. Diz que Deus
vai me guiar. Carline perdeu tias & tios
& primos & conhece o luto

mas ainda tem ambos os pais. & então,
eu aceito seus pêsames sem gritar
que ela Não. Entende.

Quando seu telefone vibra, ela rapidamente solta
minha mão, xingando. Sei antes que ela me diga
que é o gerente do resort, se perguntando onde ela está.

Quando ela vai embora, Tía se senta em frente à TV
& Don Mateo chega, de chapéu na mão, & o telefone toca, &
mesmo Vira Lata, geralmente tranquilo, late para o portão.

Todos aqui conheciam Papi:
os homens que ele pagou para ficarem de olho em mim,
os donos do *colmado* & os caras das barracas de frutas que vendiam fiado para nós,

as pessoas para quem Tía trabalhara como *curandera*, curando seus bebês.
As vizinhas mandam *pastelones* & *papayas*,
& os homens vêm mostrar seus pêsames com trabalho & orações.

Papi ficava longe por três quartos de cada ano, mas se mantinha
informado durante todos os trezentos e sessenta e cinco dias.
& então, como grãos de arroz em água fervente,

a multidão fora de nossa pequena casa verde-azulada cresce.
Pessoas de pé usando shorts & bonés,
de chinelos, os *viejos* mantidos de pé por seus *bastones*
se misturam no *balcón*,

seguram a cerca,
observam & esperam & observam & esperam   uma vigília
não ensaiada.

& eles rezam   & eu tento não sufocar
sob aqueles olhares que parecem esperar
que eu arranque a minha própria pele.

Temos a melhor casa do *barrio*
porque Papi investiu dinheiro nisso.
Ele queria que nos mudássemos, mas Tía se recusou

a deixar a vizinhança que ela conhece & ajuda.
Então, Papi nos deu cadeados de ferro,
água encanada, & um banheiro que funciona e que não precisamos dividir.

Temos ares-condicionados que zumbem,
uma geladeira grande, & um pequeno micro-ondas.
Um gerador para *cuando se va la luz,*

este último nos separando dos outros;
quando, diariamente, a luz cai
& toda a vizinhança fica escura,

somos uma das poucas casas com as luzes ainda acesas.
Mas parece que, pela primeira vez,
nossa casa é a única que está apagada.

------◆------

Nossa casa é pequena, com dois quartos
uma cozinha & *comedor.*
Um pequeno pátio nos fundos onde nós

fazemos círculos de oração & festas.
Nossos pisos não são sujos. Mas recentemente ladrilhados,
& sempre limpos com pano de chão.

Temos uma TV na sala de estar,
& Wi-Fi, & tantos pequenos luxos
que o suor do Papi nos EUA nos deu.

Mas a melhor coisa sobre a casa
é que está a uma caminhada de três minutos da praia.
O que não é tão bom quando a maré sobe,

mas salvou minha vida muitas vezes
quando eu precisava me lembrar de que o mundo é maior
do que o que conheço, & está sempre em movimento;

quando eu preciso de um lembrete
de que há vida para mim além da água
& de que um dia não serei deixada para trás.

Meu maiô é de um vermelho intenso,
como aquele da antiga série norte-americana *S.O.S. Malibu*.
Não tão decotado. Infelizmente.

Eu saio de casa pelos fundos
& evito as pessoas bem-intencionadas que estão na frente,
cujas perguntas & pêsames eu quero calar.

Da rua dos fundos, é só andar em linha reta até a água.
Por mais que eu escape pelos fundos, Vira Lata logo
está atrás de mim.

Passo por algumas casas & por dois bares
onde homens jogam dominó & bebem cerveja morna.
É o limite do nosso bairro.

El Cero está sentado do lado de fora de um bar em seus shorts azuis,
seus olhos me seguindo conforme eu me aproximo. Ele é um homem
mais velho do que eu, mas mais jovem do que Papi,

& eu soube que no momento em que fiz treze anos
Papi começou a pagar a El Cero uma taxa anual para me deixar em paz.
Mas nos últimos meses, tenho sentido os olhos dele nas minhas costas.

Pequenos detalhes, tipo ele ficar esperando na minha parada de ônibus.
Ou estar frequentando mais a praia. Carline até me disse
que o viu no resort uma vez & ele perguntou sobre mim.

Mantenho *meus* olhos na rua enquanto passo.
Imagino que estou invisível. & então minha visão favorita:
as árvores juntinhas, & uma pequena trilha entre elas,

então o aterro de terra revirada
que abre caminho para a areia desbotada de sol.
Este recanto é cercado por penhascos irregulares de um lado –

onde os *chamaquitos* mergulham – & no outro está
a parede de pedra que separa a vizinhança do resort
onde Carline trabalha.

Evito o penhasco; não estou aqui para saltar.
Estou aqui porque preciso da correnteza, se movendo & constante
& nunca sendo igual. Clara & azul bem lá onde a deixei.

Meu pequeno oásis. Papi costumava chamá-lo de *Camino's Playa*.
O som do mar aquieta meus piores pensamentos.

& eu retiro meus shorts jeans, mergulho, cortando as águas

como se assim pudesse cortar em pedaços meu coração partido.

Nadar deve ser o mais próximo de voar
que um ser humano consegue chegar. Há algo
sobre como um corpo rompe a água

a fim de se impulsionar pelo espaço que nos faz sentir
tocados por Deus. Isso me faz entender a evolução,
entender que devemos mesmo ter saído do mar.

As paixões da minha vida
são todas sobre romper água, construir uma nova vida,
respirar em pele enrugada.

Tía me diz que devo ser a filha
de um santo d'água. Tudo o que sei é que estou quase certa
do meu lugar no mundo

com a água penteando meus cachos,
o frio mordendo minha pele, & meus braços
criando um arco acima da minha cabeça enquanto me movo

& também luto   contra esses elementos.

Papi aprendeu a nadar nesta parte do Mar do Caribe.
Costumava pular dos penhascos, mergulhando no azul.
Quando eu era mais nova, ele me ensinou,

zombando da quietude da piscina do resort ali perto.
— *Buenooo*, a melhor maneira de aprender a nadar
é pular em água que queira te matar. —

Era engraçado quando ele dizia isso.
Na maioria dos dias, ele observava da areia
enquanto eu tentava me transformar em uma coisa com barbatanas.

Em outros dias, ele tirava a camisa,
mostrava o peito peludo & a barriga que balançava,
& me fazia querer renegá-lo ali mesmo.

As outras crianças do *barrio* observavam quando *"el Papi de Camino"*,
aquele que trazia camisetas legais dos Estados Unidos,
tirava suas sandálias & chapéu de velho, caminhava até um pequeno pico

& mergulhava, entrando na água tão delicadamente
que causaria inveja em *el* Michael Phelps.
Naqueles momentos, Papi se tornava uma criatura do lago,

uma faca humana, um tritão
de alguma mitologia oceânica mitológico...
tão natural que eu procurava guelras em seu pescoço.

Não havia maré forte o bastante
para resistir a ele.
Estou convencida de que Papi era feito de mais água do que a maioria
    das pessoas.

As criancinhas comemoravam & tentavam subir em suas costas,
para ele se tornar também uma prancha de surfe humana, & eu
dizia: — *Ese es mi papi. Ele é todinho meu.* —

Papi aprendeu a nadar em água que queria matá-lo.
Aquele oceano não poderia ser tão diferente; não deveria ser diferente.
Se algum homem podia mergulhar & emergir respirando,

deveria ser quem praticara a vida toda para aquele momento.

------◆-------

Meus braços estão cansados, minhas juntas gritando. Quero nadar
até me tornar esta água. O mundo empalidece quando você está
mergulhado, & o oceano murmura *fique fique fique*.

Eu emerjo e mergulho, emerjo e mergulho.
Meus pulmões pegando fogo. Meus braços tremendo pela força.
Eu poderia parar de me mexer. Eu poderia apenas   ir.

Viro minha cabeça para respirar; um assovio estridente me interrompe no meio
    de uma braçada.
Flutuando de bruços, abrindo os olhos para o céu escuro.
Não preciso olhar para saber quem está na praia.

— Está ficando tarde, Camino. A praia é perigosa à noite. —
El Cero. De certa forma parece que eu sempre soube
que a ausência de Papi traria problemas.

Dou braçadas na água, tentando mapear
a rota mais rápida de escape para passar por El Cero
sem ter que me aproximar dele. Vira Lata balança o rabo para mim.

Queria que ele estivesse mais propenso a mostrar os dentes.

Mesmo a distância, vejo os olhos de El Cero mergulharem
até onde meus mamilos estão gelados conforme eu nado.
& eu sei que a coisa mais perigosa nesta praia

não tem nada a ver com a escuridão.
A coisa mais perigosa
está bem na minha frente.

------◆-------

El Cero não é um homem confiável. Ou um homem para o qual demonstrar medo.
Sem abaixar minha cabeça, passo calmamente por ele,
pego meus shorts & faço cara feia.

Vira Lata deve ter entendido minha postura.
Ele se aproxima e se esfrega contra minha perna,
& eu lhe faço um carinho para que saiba que estou bem.

Não quero nada com os galos que cantam
ou com os *viejos* acendendo velas, & Tía assistindo ao jornal,
& pessoas se aglomerando no pátio

& rodas de oração, & olhos atentos, &
os murmúrios sobre Papi estar morto.
Mas seja lá o que for que El Cero quer de mim

sei que será pior
do que um desconforto momentâneo na casa de Tía.
Porque El Cero quererá algo em troca de seus pêsames.

Papi não gostava que garotos
flertassem comigo desde os meus doze anos,
mas ele teria que estar por perto

para impedi-los, ou para me impedir
de flertar de volta. Além disso, ele nunca foi
tão rigoroso quanto fingia ser.

Não mexo com os caras do *barrio*
que gostam de falar sobre as garotas com quem já dormiram
enquanto jogam dominó nos bares.

Só costumo flertar
com gringos da escola.
Aqueles com sotaque americano

com passaportes azuis & sangue azul
ambos estampados com prestígio & dinheiro;
é para eles que eu rebolo meus quadris.

Não porque são lindos ou interessantes –
em geral são desagradáveis & só querem provar
minha língua escorregadia & minha negritude;

eles agem como se pudessem mudar minha vida se eu
provar sua pompa cor-de-leite-em-pó.
Não, saio com esses garotos porque é seguro.

Eles não sabem dançar *bachata* ou cantar Juan Luis Guerra,
não sabem recitar Salomé Ureña ou nomear os antepassados;
eles vestem suas bandeiras como se fossem um cobertor,

& se o coração tem topografia,
sei que nenhum desses garotos sabe as coordenadas
para navegar & sobreviver ao meu terreno difícil.

Em outras palavras, esses garotos não me distraem.

------◆------

Papi era um *tiguerazo*.
Um malandro. Um cara esperto, que aprendeu tudo nas ruas.
Ele poderia vender água para um hidrante,

um fósforo para um posto de gasolina em chamas.
Papi vem daqui: Sosúa, Puerto Plata,
República Dominicana. & ele sempre disse

que não queria que eu ou minha *tía*
engraxássemos sapatos ou vendêssemos bilhetes de loteria, não queria que
    conhecêssemos
a fome ou a raiva de nada ter.

& então nossa pobreza não é a mesma de nossos vizinhos.
Mas definitivamente não somos ricos como meus colegas de classe.
É a pobreza de um patrocínio americano.

A pobreza de ter que contar com a Western Union
& um pai ocupado & dinheiro cuja maioria vai para pagar a mensalidade da escola;
a pobreza de Nikes de segunda mão, com o couro repintado para parecerem novos.

Papi era um malandro: primo de primeiro grau do suor,
um *criado* do trabalho duro. Um rei que construiu um império
para que eu tivesse um trono a herdar.

------◆-------

El Cero não é o tipo de malandro que Papi era.
El Cero negocia corpos;   fica de olho em meninas
quando elas completam dez anos   & as convence

com compras no mercado & palavras gentis.
Quando essas meninas se desenvolvem & mostram
o botão de uma flor, ele as colhe para seu time.

& embora a maioria das pessoas aqui não admitam que pensam como eu,
uma mulher deveria ser capaz de vender o que quiser.
Mas *não* se for por insistência de um homem. Desse homem.

Os boatos na rua dizem que El Cero é o primeiro a experimentar
as garotas que trabalham para ele. Antes de arrumá-las
& levá-las para a praia do resort em blusinhas e shorts curtos

para homens do mundo todo que vêm aqui pelo sol
& por sexo poderem avaliar positiva ou negativamente os produtos. As mulheres.
Não mulheres, ainda. Meninas.

Então não. El Cero não é o tipo de malandro que Papi era.

Ele não tem ética.
O suor que faz o dinheiro não é o dele.
Mesmo agora, enquanto eu encaro o sol se pondo & me afasto,

ele chama: — Camino, você sabe que pode contar comigo.
Seja lá o que precise. Dinheiro extra, ou um ombro
amigo. É só falar. Que perda terrível a vida do seu pai. —

É uma noite quente. Mas minha pele parece beijada pelo frio.

Seja lá quanto Papi pagava todo ano, acho que El Cero
ainda está esperando. Embora eu não tenha nem um centavo
em meu nome. Sei que há outros meios de pagamento que ele aceitaria.

Sei que ele amaria
se eu ficasse cada vez mais
endividada.

Sei o que El Cero vê quando me olha:
este cabelo, os cachos descendo por minhas costas,
iluminado pelo sol & sempre enrolado.

Este corpo magro, mais bem alimentado que a maioria, com curvas suaves
nos lugares que atraem assovios & *piropos*; nadar
manteve este corpo afiado como o facão sempre amolado de Tía.

Sou ângulos pontudos: joelhos & cotovelos,
maçãs do rosto & maxilar protuberante, língua afiada –
embora este último não seja culpa da água.

Minha pele tem a mesma cor do que a de Tía, do que a de Mamá.
Se a foto de Papi fosse em preto & branco,
a minha seria tirada num sépia suave: tons de marrom dourado.

Sou uma garota que não parece uma mulher.
Sou uma garota que parece uma garota.
Sou uma garota que não está completamente desenvolvida   ainda.

& é exatamente com isso que El Cero está contando.
Uma garota, fácil de convencer a negociar uma coisa que ela não quer,
fácil de vender para homens que querem.

------◆-------

Eu costumava estudar com a irmãzinha de El Cero.
Quando ele ainda não era El Cero. Ele era só
o magrelo Alejandro, irmão mais velho da Emily.

Antes da febre que veio como um furacão.
Antes das mortes, da doença.
Antes de Papi me colocar numa escola particular. Antes de tudo.

A irmãzinha de Cero tinha um sorrisão com um espaço entre os dentes,
uma espaço que não estava lá só porque tínhamos sete anos
& faltavam dentes.

      A irmãzinha de Cero era minha amiga.
Era a primeira a levantar a mão na aula, a se oferecer
a ler em voz alta. Ela cumprimentava a tudo & a todos:

as gatas prenhas de rua, as mulheres
que vendiam unguento & meias, & os bêbados na
esquina cantando desafinados.

A dengue veio com a chuva.
Tía não tinha mãos suficientes para curar a todos.
Nem mesmo sua própria irmã teimosa que dizia estar bem.

Nem a menininha que era a amiga
de sua sobrinha. Houve muitos funerais
naquele outubro. Dizem que, depois que a irmã de Cero morreu,

ele nunca mais foi o mesmo. Antes de eu aprender a temê-lo,
havia uma lembrança que sempre voltava,
uma que não consigo deixar de lado mesmo quando só quero que ele me deixe:

Cero nunca pareceu jovem para mim. Sempre essa mesma
idade, esse mesmo rosto. Mas ele ia até a escola
buscar a Emily. & ela parava

tudo o que estava fazendo & corria para ele, de braços abertos.
Ele a pegava nos braços, e a girava no ar. & eu tinha inveja.
Inveja de não ter uma figura masculina consistente como Cero em minha vida.

------◆------

Tía não desligou a TV desde o acidente.
Nem apagou as três grandes velas
debaixo da foto do meu pai

no altar dos ancestrais.
Esta manhã, mergulhadores começaram
a recolher os pedaços do avião.

Papi amava a água, conseguia segurar o fôlego
por mais tempo do que todo mundo. A cobertura do acidente diminuiu;
dizem que as chances de haver sobreviventes também.

Faz setenta e duas horas, & vou para a escola na segunda-feira,
mesmo que Tía diga que eu deveria ficar em casa. Quero a normalidade.
Mas os professores não pedem dever de casa, não me fazem perguntas.

À tarde, El Cero está sentado numa caixa
perto de onde eu desço do ônibus. Mais tarde, ele está do lado de fora do
bar pelo qual tenho que passar para chegar à praia.

Tento não temer o fato de que ele parece estar em cada esquina.
Mas parece que El Cero acabou com qualquer sensação de segurança.
& já que a maioria de seus negócios acontece no resort aqui do lado,

sei que ele não deixará nem eu nem esta areia em paz;
como um gato faminto que sabe que alguém tem sobras
em uma mão & um pontapé pronto para dar, eu o evito.

No jantar, esquento o ensopado de dias que ainda não consigo comer.
Neste ponto, não temos motivos para continuar esperançosas, mas não
    consigo dizer as palavras
porque então será   real.

--------◆--------

Tía & eu agimos
como se não falar do assunto
fosse impedi-lo de ser verdade.

Eu a ajudo a moer & secar
ervas. Remendamos toalhas
& assistimos TV em silêncio.

Às vezes, quando entro
na sala de estar, eu a escuto
sussurrar ao telefone;

ela sempre desliga rápido;
acho que está conduzindo
os preparativos para o funeral,

mas ela sabe que não pode me contar. Sabe
que meus ombros ainda estão muito fracos
para aguentar o peso da notícia.

------◆------

Camino ✈ Yahaira

Algumas pessoas jogam xadrez, mas eu *jogava* xadrez.
Não do jeito que o seu *abuelito* joga xadrez na praça.

Não quero ofender o avô de ninguém. É que
minha posição é mais oficial do que a do seu *abuelito*.

Ano passado, minha posição na FIDE[1] foi mais alta
do que o ano em que nasci, bem acima de 2000.

Toda semana eu acabava com os oponentes em competições na cidade
& viajava com uma equipe para os torneios nacionais.

Até o ano passado.

Não sou a melhor aluna da A. C. Portalatín High School,
mas era uma das melhores jogadoras de xadrez da cidade inteira.

& garantia que nossa equipe ganhasse títulos,
& a escola me amava por isso; a vizinhança também.

Eu nos fiz aparecer no jornal & na programação do horário nobre na TV
falando sobre algo além de drogas ou notas baixas ou gentrificação.

Mas ano passado, as coisas mudaram. & eu também.
Assim como o xadrez. & se o jogo me ensinou alguma coisa,

é que quando você pega um peão
tem que movê-lo para frente. Não pode colocá-lo de volta no mesmo lugar.

--------◆--------

---

1 Sigla em francês da Federação Internacional de Xadrez. (N.T.)

Papi era um bom professor de xadrez.
Ele não era um bom jogador de xadrez.

Prova disso é que ele era péssimo em esconder coisas.
Dava sempre para adivinhar a próxima jogada dele.

Ao menos era o que eu costumava pensar.

Quando Papi está na República Dominicana, não nos falamos com frequência,
mas eu nunca precisei entrar em contato

do jeito que precisei um dia no verão passado.
Parecia que ele seria

a única pessoa a me ajudar a entender
A Coisa Que Aconteceu.

A coisa sobre a qual ainda tenho dificuldade em falar.
Liguei para o celular dele. Papi não atendeu.

Mandei uma mensagem & não recebi resposta.
Tentei o e-mail, mas um dia depois

minha caixa de entrada continuava vazia.

Notei que Papi sempre viaja a trabalho,
mas eu não tinha nenhum número comercial para o qual ligar.

Liguei para Tío Jorge para perguntar, mas ele
disse que não tinha um número.

Mami afagou minhas costas, mas disse
que Papi ligaria de volta quando pudesse.

Um dia que Mami não estava em casa, revirei
uma pasta com os documentos de Papi. Pensei que um de seus

documentos do trabalho pudesse ter o número da empresa.
Meus dedos, atraídos como ímãs, pousaram num envelope fechado.

Eu sabia que Mami nunca tinha
olhado ali.

Sei com certeza porque se ela tivesse,
saberia o que eu sei,

o que ela não pode saber
ou nada seria como era.

-------◆-------

A história de Mami e Papi depende
de quem está contando.

De acordo com Papi, ele viu Mami
no El Malecón em Puerto Plata.

Sentada perto da orla da água,
arrasando em jeans de cintura alta,

— *Guapa y alta como un modelo.*
Cabelo liso & o nariz de uma imperatriz romana. —

De acordo com Mami,
ela viu Papi se aproximando.

Negro como a fava da baunilha,
peito largo & com mãos de mecânico.

— *Fuerte como un luchador.*
Pelo afro y esos dientes derechitos. —

De acordo com Papi, Mami era *fina*,
como uma peça de xadrez de porcelana pronta para ser capturada.

De acordo com Mami,
algo em Papi chamou a atenção dela.

Talvez seu riso, tão alto que espantava os pássaros.
O jeito que a multidão abria caminho enquanto ele caminhava até ela,

o modo como ela ficou de pé & o observou, inabalável & com um meio sorriso,
forçando-o a estufar o peito,

a endireitar o cabelo para se apresentar para a mulher
com a qual um dia jurou se casar.

-------◆-------

É de se imaginar que
café & leite condensado

resultaria num tipo
de marrom claro.

Mas eu vim igual Papi,
a *bella negra* dele.

Cabelo cheio como o dele,
lábios cheios como os dele,

casca grossa como ele.
Quando alguns dos meus primos

do lado da família de Mami
me chamaram de *la prieta fea*,

não dei ouvidos. O lembrete
de Papi comigo:

você é negra
& sempre foi linda:

como a noite, como uma estrela depois que explode
como obsidiana & ônix & azeviche   preciosa.

Mas sei que sou linda
como todas & nenhuma daquelas coisas:

alto no céu & fundo na terra
sou linda como uma garota negra que está bem aqui.

Sempre preferi usar as peças pretas
no tabuleiro de xadrez.

Sempre avançando,
conquistando o ofensivo

outro lado.

Mas embora eu seja negra como Papi
& tenha os mesmos traços que os dele, meu corpo

é como o de Mami. As curvas dela são como um mapa
para as minhas próprias curvas.

Ninguém pode dizer que não sou filha deles.
Na primeira vez que Dre me tocou

sem nossas roupas no caminho, ela ficou passando a mão
da minha cintura para o meu quadril. & eu queria mandar para Mami

uma mensagem de agradecimento, por ter dado ao meu corpo uma curva
feita para abrigar a mão de Dre.

Às vezes olho para os meus dedos,
& eles são longos e finos;

A impressão de Mami
coberta pela cor do meu pai.

Mas meu riso é estrondoso,
como o de Papi. Meus gestos: todos dele.

Quanto à personalidade,
não sou nenhum dos dois.

Quando eles dão festas de família barulhentas,
eu prefiro ficar no meu quarto lendo.

Enquanto Papi está sempre pensando
em como economizar mais dinheiro,

eu monto uma lista de desejos na Sephora
para pedir no meu aniversário.

Mami fica em frente ao fogão por horas,
& eu consigo queimar até um sanduíche.

Sou deles. Dá para vê-los em mim.
Mas eu também sou toda minha,   na maioria das vezes.

------◆-------

Três dias depois

Já que eu não sei
se Papi é uma âncora

no fundo do oceano,
ignoro todas as ligações.

Aperto "desligar" no meu telefone
quando colegas de sala me ligam.

Quero dobrar minhas orelhas
como embalagens de doce vazias,

pequenas & pequenas & pequeninas
até que nenhuma palavra caiba lá dentro.

Tenho medo de que, se eu fechar os olhos,
tenha que aceitar

que os dele nunca mais se abrirão.
É uma batalha perdida;

adormeço no sofá
com o controle remoto em mãos.

Sou acordada por um gemido
que soa como se algo monstruoso

tivesse colocado suas garras na minha mãe.

Ela pressiona o telefone contra a orelha,
mas meus olhos seguem os dela até a TV:

Nenhum sobrevivente do voo 1112 foi encontrado.

Dre é minha melhor amiga
desde que a família dela alugou o apartamento ao lado.

Ela é minha namorada
desde algum momento do oitavo ano.

Compartilhamos uma escada de emergência,
& no verão em que fizemos doze anos

passamos a ficar lá
nas mesmas horas do dia.

Dre lia um livro de fantasia
ou podava uma muda de tomate meio morta,

& eu jogava xadrez no meu celular,
ou assistia a tutoriais de manicure.

Ela & eu grudamos
igual chiclete.

Nós duas absortas nos nossos próprios mundos,
mas confortavelmente dividindo o espaço.

Dre vem de uma família militar sulista.
Ela não deveria ser uma criança hippie,

mas ela é plantinha até o fim. Uma vegana abraçadora de árvores
que alimenta esquilos e estuda astrologia.

Eu? Sou uma *negrita* amante da moda, jogadora de xadrez
que desistiu no auge.

Ambas sabemos o que é ter os pais nos olhando
como se fôssemos duas interrogações gigantes.

Também sabemos o que é olhar uma para a outra
& encontrar ali todas as respostas sobre si.

Sou a garota que perceberá
se os pelos do seu nariz cresceram demais

ou se suas unhas estão cortadas muito curtas.
Eu elogiaria

como o seu *baby hair* está bem feito
da mesma forma que elogiaria quão bem você conduziu um debate.

Dre transforma qualquer conversa
em uma sobre jardinagem.

Se você contar uma piada imprópria,
Dre vai falar sobre como as plantas se autopolinizam.

Se você falar sobre sair pegando todo mundo,
verá Dre piscar conforme sua mente percorre

um longo caminho, lavrando a terra & plantando sementes.
Aqui estamos nós, com nossos interesses em xadrez,

& astrologia & terra & em uma na outra.

------◆------

Dre está me mandando mensagem
desde hoje cedo.

Ela deve ter visto as notícias.
Eu não contei para ela

porque desliguei o celular.
A ideia de falar

me faz querer
me arrancar desta pele.

Exceto que não dá para ignorar
minha namorada por muito tempo

antes que ela bata na janela

& coloque a cabeça para dentro.
— É verdade, Yaya? —

& escuto o tremor
na voz dela

que ameaça fazer falhar
a minha.

Dre amava Papi
como se ele fosse da família dela.

Fazia Papi rir
com seu espanhol de escola quadradinho

& os modos da Carolina do Norte.
— Não sei, Dre.

Tudo é possí... —
me interrompo.

Sinto que é uma mentira.
Nada & ninguém parece possível agora.

Não consigo vê-la assentir.
Mas sei que ela está assentindo.

Sei que as lágrimas estão descendo
por suas bochechas negras.

Ela passa suas longas pernas
pela janela & vem para o chão

descansando a cabeça no meu joelho
& abraçando minhas pernas.

— Estou aqui, Yaya. Estou aqui.
Por horas, ficamos sentadas. Desse jeito.

Originalmente, Dre é de Raleigh.
& embora ela tenha vivido em Nova York

por um bom tempo, de vez em quando
o sotaque dela muda.

Em especial quando está chateada
ou magoada ou tentando ser forte.

O que acontece quando os novaiorquinos ficam com raiva?
Nossas palavras ficam afiadas,

falamos como atletas de corrida de revezamento
lutando para passar o bastão para a próxima frase sarcástica.

Mas Dre, quando está chateada, fala devagar
& fica ainda mais educada, & então sei

que ela é todinha a filha da dra. Jonhson.
Dra. Johnson assume a mesma maneira calma & precisa,

suas palavras são como uma fita se desenrolando
que parece nunca acabar.

Quando a dra. Jonhson está chateada, entrelaça as mãos
na frente do corpo, & inclina a cabeça para o lado

enquanto nos chama atenção porque não terminamos
o dever de casa mais cedo, ou porque certo filme ou vídeo na rede social

não é tão engraçado quanto pensamos ser,
se analisado num contexto mais amplo.

O sr. Johnson, ou como eu deveria dizer, Sargento Johnson,
está na força aérea. Eu só me encontrei com ele algumas vezes

& ele não falou o suficiente para que eu pudesse analisar quão devagar ou quão
    rápido,
quão tranquilo ou quão raivoso era o tom de sua voz.

Mas Dre fala comigo devagar. Eu já a vi
sussurrar para uma planta murcha. Acreditando que seu próprio sopro

poderia dar vida a uma folha moribunda. Poderia cantar até que melhorasse.
Poderia reviver o caule.

------◆-------

No verão anterior ao oitavo ano,
Dre ficou mais alta. Quando completamente estendidas,

suas pernas ficam esticadas além das grades
da saída de incêndio & penduradas na beirada

como poleiros para pombos calçando Jordans.
Dre quer estudar terapia da fala na faculdade,

mas sempre achei que deveria estudar agronomia.
Nunca vi alguém fazer crescer algo

num pequeno pote numa saída de incêndio como vi
Dre induzir pequenas sementes a brotar e florescer aqui.

Ela tem vaso no parapeito onde cultiva quiabo;
no nosso lado da saída incêndio, onde a luz do sol bate mais,

Dre plantou tomates. Uma vez ela plantou
pimentas pequenininhas, verdes & fortes.

Embora o proprietário tenha enviado avisos
de que a hortinha vai contra o regulamento para evitar incêndios,

Dre apenas arruma outra forma de dispor suas plantas,
pendurando-as no corrimão, ou as esconde à plena vista,

para que ela possa florescer. Mesmo quando os pombos atacam suas
mudas, ou esquilos comem brotos

Dre apenas ri & coloca suas mãos negras de volta no solo:
decide cultivar para nós   algo   bom.

------◆------

Papi nunca viu o que Dre
& eu éramos uma para a outra. Pelo menos

nunca disse nada.
Ma é mais atenta.

& não é como se Ma não gostasse
que eu goste de Dre. É que ela entendeu

que eu não queria que isso virasse um grande caso.

Há um artista que minha mãe amava,
Juan Gabriel, a quem uma vez perguntaram

em uma entrevista se era gay.
A resposta: o que está entendido não precisa ser dito.

Eu me lembro como os olhos de Mami
foram atraídos para mim

como uma abelha numa flor
ao perceber a doçura do pólen.

Nunca tive de dizer
a Mami que gosto de meninas.

Ela sabia. & sabia que Dre era especial.
Ano passado, no Dia dos Namorados, antes que eu saísse para aescola,

Mami me deu um envelope
com uma nota de vinte dólares dentro,

mexendo uma panela com algo cheiroso
enquanto dizia: — *Pa que le compre algo* legal *a Andreita.* —

Com ela, eu não precisava fingir
que minha melhor amiga era só uma amiga.

------◆-------

O amor da sua vida morar logo ao lado
é o tipo de clichê sobre o qual minha professora

nos faria escrever redações na aula.
Mas foi assim que aconteceu com Dre & eu.

Em um dia, éramos melhores amigas,
& no outro éramos melhores amigas

que olhavam para a boca uma da outra
quando compartilhávamos o brilho labial.

Acho que nunca entendi a palavra
M   A   R   A   V   I   L   H   A

até o dia em que nossas línguas se tocaram
& ambas quisemos

que se tocassem outra vez. Essa garota
sentia por mim   o que eu sentia por ela.

No dia em que nos beijamos pela primeira vez,
entrei no quarto dos meus pais

& agradeci ao pequeno santo de porcelana que
Papi mantinha no guarda-roupa:

           obrigada, obrigada.
Sussurrei para seja lá o que estivesse ouvindo.

-------◆-------

A única coisa em Dre
que me irrita

é que ela às vezes é
boa demais. Ela tem uma balança

para fazer o que é certo
que sempre está

perfeitamente equilibrada.
O que é o motivo pelo qual Dre ficou tão

desapontada por eu
não "sair do armário" do

jeito que ela queria que eu fizesse.
Dre disse que eu não deveria esconder

o que somos.
& eu lhe disse que não estava escondendo,

só não estava gritando
em alto e bom som

para os meus pais ou qualquer um.
Pessoas que me conhecem, sabem.

As manias de Dre também aparecem
de outras formas.

Às vezes ela quer que eu
tenha opinião formada

sobre canudos de plástico, ou
os direitos à água, ou meus sentimentos

sobre Papi, & ela nem
sempre nota que preciso de tempo

para pensar,
para aceitar

as possibilidades.

Estou falando sobre a minha pele,
& meu lar, & principalmente sobre Dre,

porque é mais fácil do que falar que
Papi   está   morto.

Se eu disser as palavras,
se eu permitir que elas cortem o ar,

o que quer que esteja me mantendo em pé
vai se partir também.

------◆------

O telefone da casa esteve tocando
o dia inteiro.

Repórteres de canais americanos
& latino-americanos

& jornais & revistas
& podcasts & sites.

Parentes
do Bronx & da República Dominicana.

A associação do bairro,
que nos convidou para a terapia de luto,

sessões especiais que
acontecerão na igreja.

O telefone toca & toca,
& a voz de Mami,

crua como açúcar não processado,
atende & atende,

mas não responde
o que faremos agora.

Uma coisa que ninguém sabe
& provavelmente não acreditariam se eu dissesse:

na noite anterior ao voo de Papi,
eu quase pedi para que ele não embarcasse.

Seria a primeira frase completa
que eu diria a ele em quase um ano.

Não estávamos próximos, não como costumávamos ser,
desde que parei de jogar xadrez,

desde que ele tentou me forçar a voltar,
desde que eu vi a certidão em um envelope selado.

Quando parei de jogar xadrez,
ele me disse que parti seu coração.

Eu nunca disse a Papi que ele partiu o meu.
Na República Dominicana,

antes que ele conhecesse Mami & viesse para cá
& começasse uma vida para nós,

Papi era contador,
um homem de números & dinheiro,

mas aqui ele ralou até
se tornar dono de um bilhar na Dyckman Street.

Não acredito em mágica
ou premonição. Não como Papi,

que fazia o sinal da cruz sempre que saía de casa.
Não como Mami, que tenta interpretar sonhos.

Mas na noite antes de Papi embarcar para a República Dominicana,
algo pesou meu coração,

& eu quis pedir para que ele ficasse.
Mas nunca falei nada.

& Papi fez algo
que não fazia há um ano:

veio até o meu quarto dizer boa-noite

& colocou a mão no meu cabelo
quando eu estava fazendo *twists* nos meus cachos.

Odeio quando ele bagunça o penteado que acabei de fazer,
mas também sentia falta dele. Meus dedos tocaram os dele. Entrelaçaram.

Então me afastei. Saí de seu alcance.
— *Me tengo que ir, los negocios. Ya tú sabes.* —

Ele sempre estava de volta antes do meu aniversário em setembro,
mas todo ano, nesta época,

a coluna de Mami trava, os lábios se apertam
como cadarços prendendo a língua.

Conforme a partida de Papi se aproxima, quase consigo ver
a distância entre os meus pais crescer.

& ela se nega a levá-lo ao aeroporto
não importa o quanto eu implore, pois quero estar lá quando ele se for.

Faz anos que Papi parou de tentar fazer piadinhas para melhorar o humor dela,
& me pergunto se agora ela se arrepende que os últimos dias dele

aqui, em casa, vivo,
eles passaram brigados.

Eu não o respondi. Toda vez que ele ia para lá,
dizia que era a negócios. Eu sabia agora que ele estava mentindo.

Ele brincou com o interruptor do meu quarto.

— *Negra bella, te quiero.* Sei que as coisas não estão como eram antes
entre nós, mas espero que possamos conversar quando eu voltar. —

Eu o espiei pelo espelho
enquanto meus dedos enrolavam & enrolavam meu cabelo.

Lembro de como comecei a dizer algo,
então segurei as palavras antes que saíssem.

Ele balançou a cabeça, como se tivesse mudado de ideia.
— Enquanto eu estiver fora, *cúidade, negra.* —

& eu não disse nada.

------◆-------

Uma vez, quando ainda era nova nas competições de xadrez,
estive em um torneio com crianças mais velhas do que eu.

Consegui chegar a uma das últimas rodadas
& estava jogando bem.

Me convenci de que ia ganhar.
Mas caí numa armadilha do oponente & fui colocada em xeque.

Minhas mãos tremeram, lágrimas encheram meus olhos;
o tempo passando, mas eu não conseguia me mexer.

Quando finalmente olhei para cima, vi Papi me observando
através da dupla porta de vidro.

Ele não piscou, não balançou a cabeça,
não fez nada, mas de alguma forma eu soube.

Endireitei a postura; limpei as lágrimas.
Derrubei meu rei.

Voltamos para casa de trem, em silêncio.
Mas, antes que descêssemos na nossa parada,

Papi se virou para o meu eu de nove anos & disse:
— Nunca, nunca mesmo, deixe que eles te vejam suar, *negra*.

Lute até que não consiga mais respirar, & se você tiver que desistir,
desista sorrindo, faça-os pensar que você os está deixando ganhar.

------◆-------

Quatro dias depois

no noticiário

                                          contusões

trauma no impacto

                         legista

                                        não identificável

forças extremas

                         não intacto

não confirmado

                                        registros dentários

antropologia forense

tatuagens   digitais

      dentes   itens pessoais

-------◆-------

Assisto ao vídeo
do avião afundando no oceano.

As ondas subindo   braços abertos   bem-vindo.
Espero por notícias dizendo que os passageiros

usavam coletes salva-vidas.
Que havia botes que não foram mencionados antes.

Que a avaliação inicial estava errada.
Que a Guarda Costeira encontrou alguém vivo.

O noticiário só repete as mesmas palavras.
Nenhum sobrevivente encontrado. Número de mortos: não confirmado.

O avião afundou trinta e seis metros.
Mergulhadores profissionais estão entrando na água,

de quinze em quinze minutos,
tentando recuperar o que restou.

Digo a Mami que precisamos ir ao Queens,
a costa mais próxima de onde o avião caiu.

Dezenas de pessoas estão acendendo velas
na praia. A pequena esperança dentro de mim não faz sentido.

Sei disso. Mas preciso ir. Se eu
puder estar o mais perto possível do local do acidente,

talvez minha presença mude o resultado.
Tudo o que Mami faz é se arrastar para o quarto

onde nega   meu pedido
com um clique agudo, baixinho.

------◆------

Papi me colocou em frente a um tabuleiro de xadrez
quando eu tinha três anos.

Com paciência, ele me explicou todas as peças,
mas eu ainda achava que todas eram peões.

Ele amava... *ama* contar a história
de como eu desistia do rei

em qualquer oportunidade, mas protegia os cavalos
porque — *Me gustan los caballitos!* —

(Em minha defesa, por que uma criança de três anos
escolheria um rei sem-graça em vez de um pônei?)

Mas mesmo quando ficava entediada, eu também era boa
em memorizar padrões de abertura

& encerramento, quando usar o roque[2] & quando capturar.
Eu estava fascinada pelo ritmo do jogo;

que vinha naturalmente a mim como quando Papi
me ensinou a dançar. Tudo se trata de passos & padrões.

Quando eu tinha quatro anos,
conseguia ganhar de Papi se ele não estive prestando atenção.

Aos cinco, o derrotei
com apenas seis movimentos.

Depois disso, ele me levava ao centro no trem C
para competir contra os caras do Washington Square Park

que jogavam por dinheiro. Eles eram tubarões
& achavam que a menininha era fofa demais para competir.

Mas Papi colocava uma nota de vinte dólares na mesa, & eles
aprendiam rápido: a baixinha tinha dedos pacientes & estava sempre três
   movimentos à frente.

Mais importante do que isso, eu amava o   quanto
Papi amava me ver ganhar.

------◆-------

---

2 No xadrez, o roque é uma jogada que movimenta duas peças de uma só vez, uma torre e o rei,
com o objetivo de proteger este último e tirá-lo do centro. (N.T.)

Comecei a competir em torneios de xadrez
quando estava no terceiro ano.

De setembro a junho,
Papi nunca perdia nenhuma das minhas partidas.

Nunca reclamou de me buscar nos
encontros tardios da equipe, ou dos custos adicionais da mentoria,

embora eu soubesse que ele tinha que cortar verba
de outras coisas & de outras pessoas para conseguir pagar ambos.

A cada dois anos,
ele construía uma nova prateleira com as próprias mãos

& colocava nela meus troféus & placas,
pendurava minhas fitas & prêmios.

— *Negra bella, lo vas a ganar todo.* —
E eu ganhava. Ganhava tudo por ele.

Até não poder mais. Até não saber por que
ou como   eu deveria.

------◆-------

Se eu amava o xadrez?
Eu jogava xadrez.

Mas amar? Como amo
assistir a tutoriais de beleza?

Amar, como eu amo quando
algo que digo surpreende

Dre, & o riso dela é como o Monte Vesúvio –
uma erupção que mexe & me desestabiliza

todinha? Amar, como eu amo o cheiro
de Mami cozinhando *mangú* & fritando salame?

Ou como eu amo o irmão de Papi, Tío Jorge,
segurando minha mão & dizendo que lhe encho de orgulho

por quem sou, não pelo que ganho?

Como eu amava meu pai, esse tipo de amor?
Ardente, enorme, um amor que toma conta de tudo,

um amor onde eu fingia ser algo que não era?
Eu *jogava* xadrez. Eu estava obcecada por ganhar.

Mas nunca amei.

Mami queria que eu fosse uma dama:
que me sentasse direito, com os tornozelos cruzados,

e deixasse os homens me protegerem.
Papi queria que eu fosse uma líder.

Que pensasse rápido & atacasse forte,
que falasse pouco, mas, quando o fizesse,

que sempre fosse ouvida. Quanto a mim?
Jogar xadrez me ensinou que uma rainha é, ao mesmo tempo:

mortal & graciosa, preparada & implacável.
Quieta & astuciosa. Uma rainha

oferece a mão para ser beijada,

& pode fechá-la em punho
com um sorriso no rosto.

Mas o que acontece quando esses princípios
só se aplicam ao jogo? & no mundo real,

não sou tratada como uma dama ou uma rainha,
defensora ou oponente,

mas uma garota que tantos querem eliminar do tabuleiro.

------◆------

Sempre quis ir à República Dominicana.
Todo ano, meu pai viajava para lá.

Todo ano, eu perguntava se podia ir junto.
Mas Papi sempre dizia não. Eu supus

que fosse porque ele estaria ocupado com o trabalho.
Nunca pensei que Papi fosse estar fazendo

algo que não queria que eu visse.
Mami me dizia desde os meus cinco anos

que não me deixaria pisar na ilha
mesmo que fosse o último lugar habitável da Terra.

Embora ainda tenha primos lá,
ela nunca voltou.

Supus que Mami tinha más lembranças do lugar.
Pelo jeito, eu fiz muitas suposições.

Sempre olhei para os meus pais & vi
exatamente o que eles me mostravam. Eu não conseguia

imaginá-los como seres humanos
que mentiam. & escondiam a verdade. Um do outro.

De mim.
Este ano, não perguntei.

Não queria me sentar diante de meu pai.
Nem para jogar xadrez, nem para comermos juntos à mesa.

Não queria perguntar se podia ir com ele
em uma viagem para o Caribe

quando eu já sabia
bem mais do que deveria saber

sobre as respostas que ele me daria,
sobre as respostas que ele não me daria.

------◆-------

Fui criada sendo bem dominicana.
Espanhol é a minha primeira língua,

bachata é um lembrete do poder do meu corpo,
comi *plátano* & salame por anos antes mesmo que eu provasse

sanduíches de pasta de amendoim & geleia.
Se você perguntasse minha nacionalidade

em termos de cultura,
eu diria que sou dominicana.

Sem hesitar,
sem dúvida.

Dá para ser de um lugar
onde você nunca esteve?

Você acha a ilha estampada em mim,
mas o que a ilha acharia de mim se eu estivesse lá?

É possível reivindicar um lar que não te conhece?
E *se* declarar como pertencente a ele?

------◆-------

Camino ✈ Yahaira

Cinco dias depois

Papi tinha dedos grossos, e em um faltava a ponta
porque o facão escorregou num dia de julho
quando ele estava cortando uma manga para mim no quintal.

A pele dele, onde a unha costumava ficar, é da mesma cor escura
das peças de xadrez de mogno com as quais ele jogava.
(Ele tentou me ensinar a jogar,

mas eu ficava tentando incluir minhas Barbies na disputa.)

As pessoas mal notavam a ponta do dedo faltante,
até apertar – no meu caso, segurar – a mão dele & sentir
o dedo indicador menor que o normal.

Ele não tentava esconder. Papi usava seus grossos anéis de ouro
& gesticulava a cada palavra dita.
& levava um charuto à boca com o dedo menor apontado para cima.

É porque o resto dele preenchia a sala inteira
& era difícil perceber que algo faltava
exceto quando o que faltava era ele,

& então era como se os dias ficassem vazios,
como se, quando o avião dele decolava,
ele levasse consigo todo o ar da terra.

------◆------

No hay sobrevivientes.
No hay sobrevivientes.
Não há sobreviventes.

Era uma esperança tola.

Tía me abraça,
seu turbante branco acariciando minha bochecha.
Ela é uma mulher pequena & pareço gigante perto dela.

Vizinhos enchem a casa
como se nosso luto fosse uma sede sem fim
& Deus estivesse despejando essa jarra de pessoas para nos aliviar.

A mobília é afastada & uma Hora Santa começa.
Contas de rosário passadas entre os dedos & o rosário se repete & se repete.
Dios te salve, María, llena eres de gracias.

Cinquenta *Ave Marias*, cinco *Padre Nuestros*, cinco *Gloria al Padres*.
Tía empurra as palavras para fora; eu as repito,
balançando para frente & para trás, deixando as palavras tomarem conta de mim.

Mais tarde, Tía terá uma reza particular em sua *bódeva* nos fundos;
lá é onde ela mantém seus búzios, onde ela pergunta
aos Santos quais os próximos passos que devemos dar;

eles sabem tudo sobre pessoas cruzando o Atlântico & morrendo.

Empilhamos nossa fé como uma coluna para nos manter em pé;
isso nos dá a linguagem para encher nossas bocas & corações & ouvidos.
Nos dá divindades para chamar

que talvez possam responder & trazer meu pai para casa.

------◆------

Papi e minha mãe se conheciam desde pequenos.
Cresceram aqui mesmo, nessa vizinhança de Sosúa.
Eram deste lar, eram um do outro.

Cresceram   se afastaram,
pelo menos é o que Tía diz, que ela se lembra
de como sua irmã mais nova ficou de olho no rapaz.

Eles se reencontram um dia no El Malecón.
Ela estava sentada perto da água, conversando
com uma amiga da universidade.

Mamá o viu se aproximar & ajeitou o cabelo.
Papi endireitou o colarinho. Pôs a camisa para dentro da calça.
Ela riu quando a amiga estendeu a mão, cheia de si.

Papi pareceu surpreso.
Mamá observou enquanto a amiga se exibia & flertava.
Discreto, Papi deu a Mamá um sorriso & uma piscadinha.

Ela o viu desfazer o apertar de mãos com a amiga.
Papi estendeu a mão para Mamá.
Ela disse que ele tinha o coração naquela mão.

Embora a amiga estivesse claramente encantada,
Mamá disse que ele só tinha olhos para ela.
Disse que naquele encontro soube que ele seria

o grande amor de sua vida.

No dia em que Mamá ficou febril,
Tía estava visitando outros pacientes
que tinham contraído dengue.

Estávamos só Mamá & eu em casa,
enquanto eu secava sua testa & rezava.
Quando Tía chegou em casa, pegou o telefone,

& mesmo sendo pequena eu soube que ela estava ligando
para o meu pai. Mesmo com seus remédios, há vezes
em que Tía sabe que o hospital é a melhor solução.

Mamá não queria ir. Disse que a ambulância era cara demais.
Embora Don Mateo tenha oferecido seu carro,
Mamá temeu deixá-lo doente.

Disse que estávamos fazendo alarde,
mas ela mal conseguia falar.
Para completar, o dinheiro de Papi chegou atrasado.

Mamá faleceu dois dias depois.
Não é algo sobre o qual eu fale.
Mesmo depois de quase uma década da sua morte.

Tía sempre morou conosco
& cuidou de mim como pôde.
Algumas pessoas se ressentiriam.

Mas mesmo quando Mamá era viva,
Tía era a outra
mãe do meu coração.

A que cantava para mim
quando eu caía & batia a bunda:
Sana, sana, culito de rana.

Quando visitava, Papi contava histórias de Mamá.
Quão linda ela era, negra & pequenina.
Como trabalhava duro como camareira no resort.

Me contava sobre o primeiro encontro deles,
& da música que mais o fazia se lembrar dela.
Minha cabeça se enche de memórias que não são minhas, que a descrevem para
  mim.

Nunca me senti órfã.
Não com Tía vigiando meus passos & me corrigindo,
& enxugando minhas lágrimas & me dizendo o que minha mãe diria.

Nem mesmo com Papi longe,
porque sua presença enchia a casa:
suas ligações semanais & chamadas de vídeo,

suas visitas no verão, fazendo o Natal
parecer um evento semianual.
Nunca me senti como uma órfã até hoje.

Dois meses para fazer dezessete anos, dois pais mortos,
& uma tia   que parece preocupada
porque nós sabemos que sem meu pai,

sem sua ajuda,   a vida que conhecemos acabou.

----◆-----

Carline me manda uma mensagem & sei que ela ainda está no trabalho.
O resort é o único lugar onde ela tem acesso ao Wi-Fi.
Ela me pergunta como estou, mas mal respondo.

Devo ter soado pouco convincente quando disse que estava bem,
porque ela chega na minha casa depois das nove,
o pé inchado & inquieto, o cansaço criando bolsas em baixo dos olhos.

Ela continua linda. & eu digo a ela.

— *Ay, Camino. No me tires piropos.*
Sei que pareço exausta. Este pequenino me manteve
acordada a noite toda brincando de vôlei na minha barriga.

& o gerente acabou comigo hoje. —

É um bom emprego que Papi a ajudou a conseguir
quando ela descobriu há seis meses que estava grávida
& parou de frequentar a escola a duas cidades de distância.

Quero dizer a ela para trabalhar menos,
mas todos na família dela precisam contribuir. É assim que eles comem.
O namorado dela, Nelson, ajuda como pode,

estudando à noite & trabalhando em dois empregos, embora tenha apenas
    dezenove anos.
Tía coloca um pouco de peixe frito diante de Carline,
que, experiente, remove a carne branca,

deixando a carcaça pontiaguda completamente limpa.

Quando termina, coloca os pés para cima, & eu fico atrás dela
arrumando seu cabelo em duas tranças. Tanta coisa mudou:
um ano atrás teríamos nos sentado desse jeito, sussurrando

sobre garotos & sonhos & o que poderíamos ser.
Agora nós duas estamos vivendo momento a momento.
Carline veio oferecer conforto, mas eu acabo sendo

quem a embrulha com um cobertor quando ela adormece,
terminando o penteado gentilmente para que ela possa dormir mais
de manhã, cuidando dela tão bem quanto consigo

antes que ela se torne mãe. & eu me lembre de que não tenho nem mãe nem pai.

Dez dias depois

Continuo indo para a escola como se nada tivesse acontecido.
Houve um dia em que tivemos um momento de silêncio.
A maioria dos meus colegas sabe que eu tinha um pai nos Estados Unidos que
   manda dinheiro.

Sou a pessoa esquisita na escola.
Nunca fui uma *hija de mami y papi,*
filha de brancos de colarinho branco.

Os dominicanos ricos e de pele clara desta escola
vêm de famílias que são donas de fábricas
ou são filhos de diplomatas americanos.

Eu não tive uma *quinceañera* em um *country club.*
Sou uma americana-adjacente. Com um pai que ganha — ganhava —
dinheiro o bastante para me manter no uniforme da escola,

mas não o bastante para contribuir na arrecadação de fundos
anual ou para me mandar a alguma das excursões internacionais
ou para me dar um carro novinho em folha no Natal.

Papi pagava a escola a cada trimestre,
& às vezes eu precisava perturbá-lo quando ele esquecia
& eu recebia outra notificação de pagamento.

& agora, me sento em silêncio na aula. Não levanto a mão.

Tenho feito minha tarefa tarde da noite
depois que Tía adormece. Estou estudando para as provas finais
no ônibus, a caminho da escola de manhã.

Finjo que Papi estar morto não muda nada.
Que entregar meus trabalhos significa que meus planos serão realidade.
Mas mesmo sentada aqui sei que talvez eu não volte depois das férias.

Sonhos são como os fiapos de lã que grudam no cabelo;
eles chamam atenção de início, mas eventualmente são
lavados, ou dedos longos os pegam & os tiram de lá

& você se torna o que todo mundo espera.

Venho de pessoas
que não estão mais vivas.
Meus avós,

meus pais. Eu tenho
Tía, & o irmão de meu pai,
que vive em Nova York,

& eles são os únicos que restam
com quem divido o sangue.
Não há ninguém com quem eu possa ir morar.

Não há ninguém que possa ajudar.
Há as minhas notas boas,
& as mãos envelhecidas de minha Tía.

Quando sou chamada para
ver a orientadora da escola,
ela quer saber

se estou bem.
Eu lhe pergunto se ela sabe o que vai acontecer
se minha família não puder pagar a mensalidade.

Ela diz que há bolsas
para as quais eu teria que ter me candidatado
semestre passado;

ela diz que os fundos já foram destinados.
Mas se o pior acontecer
eles verão o que podem fazer

para me readmitir no próximo semestre.
Ela diz que quer que eu seja bem-sucedida,
que talvez leve um tempo para que eu me ajeite.

Ela diz isso com um sorriso que pede desculpas.

Atrasaria minha graduação,
atrasaria a possibilidade de eu tentar uma faculdade,
& atrasaria o tempo em que ainda terei

que viver aqui.

------◆-------

Em seu próximo dia de folga, Carline
me arrasta para fora de casa.
Não vamos à praia,

ao invés disso, andamos mais de um quilômetro
até algumas lojas
onde turistas compram trajes de banho

& bonecas sem rostos & lembrancinhas feitas de conchas.
Embora a respiração dela esteja pesada & seus pés
inchados, ela diz que precisava de ar fresco.

Mas sei que ela quer dizer que *eu* precisava mudar de ares.
Carline poderia ser uma ótima médica ou enfermeira.
Ela tem olho clínico & era boa em ciências.

Nós olhamos vitrine a vitrine,
fingindo ser senhoras ricas
que usariam saídas-de-praia chique sobre nossos biquínis

& chinelos que custam tanto quanto nossa conta no *colmado*.
Deixo Carline andar só mais um pouquinho antes de conduzi-la a uma sorveteria.
Ela nunca reclama sobre suas dores,

mas eu conheço os sinais de fadiga.
Tenho apenas alguns pesos comigo,
mas pretendo usar o que for necessário para comprar uma casquinha para cada.

A moça no balcão dá uma olhada em Carline
& então em mim & dispensa minhas moedinhas.
Ela até adiciona granulado extra, piscando para mim.

O gesto me faz querer chorar. A gentileza
de uma estranha, simplesmente porque viu em nós
algo digno desse pequeno presente.

Essa gentileza diária é o meu lar.
Mesmo que eu pudesse ir embora,
como eu digeriria a situação?

O pensamento embrulha, azedo como leite vencido.

-------◆-------

Carline & eu voltamos para casa de braços dados.
Nossos dedos pegajosos de sorvete me fazem sentir ter seis anos outra vez.
Este dia se parece com outros mil que passamos exatamente assim.

Olhando para as vitrines & imaginando uma vida diferente
lado a lado.
Papi me colocou na Escola Internacional depois que Mamá faleceu.

Mas Carline & eu continuamos amigas fora da escola.
Tía me deixava na casa dela quando ia resolver coisas,
a *maman* de Carline a mandava para ficar conosco

quando eles viajavam de volta para o Haiti.
& então sabemos os diferentes tipos de histórias
que nosso silêncio pode contar.

O silêncio dela me diz: Camino. Tenho medo. O bebê está chegando.
Camino. Eu odeio o meu emprego. Onde o gerente aperta a minha bunda
& tenho que sorrir quando quero chorar.

Meu silêncio diz a ela: Carline. Eu sei. Eu sei. Eu sei.
Para onde vamos? Onde é o porto seguro? Juntas
conseguimos nadar para longe daqui? Conseguimos levar nossas famílias nas costas?

Por um segundo   agarro minhas preocupações pela nuca.

Meu silêncio diz a elas: me deixem. Me deixem.
Me deixem em paz. Vamos conseguir. Vamos ficar bem.
Eu prometo. De alguma forma   vamos sobreviver.

------◆------

Camino ✈ Yahaira

Catorze dias depois

Minhas faltas não são segredo.

Estive alternando entre ir & faltar à escola por duas semanas.
& quando volto, de alguma forma as provas finais já chegaram.

Deixo as palavras dos professores flutuarem ao meu redor,
e não tenho ideia de quando tenho que entregar o quê para quem.

Parece um mundo tão falso.
Nada disso pode ser real. Como assim já é quase férias de verão?

O que importa um ensaio sobre *A Tempestade*?
O que importa uma análise sobre o governo Hoover?

O que importa uma prova de trigonometria?
Qual dessas coisas explica a falha mecânica?

Qual dessas coisas vai tornar mais fácil o quão difícil é respirar?
Eu olho pela janela, para o dia quente no meio de junho.

Papi viajava todo ano
                        de junho a setembro.

Talvez a única forma de sobreviver a esses dias
seja fingir que ele volta no outono.

------◆------

Não sou a única
a negligenciar minhas responsabilidades.

Ma não foi trabalhar
durante duas semanas, & na noite passada

a dona do spa ligou
& deixou uma mensagem.

Hoje, eu acordo Ma,
penteio seu cabelo em um rabo-de-cavalo.

Removo o esmalte lascado
de suas unhas & passo um esmalte rosa claro.

Eu a forço a botar um vestido preto
que está muito mais folgado do que antes.

Eu lhe entrego a bolsa
& chamo um Lyft.

— Vá, Ma. Você precisa
fazer algo para parar

de pensar sobre isso.
Ninguém faz o seu trabalho melhor do que você. —

Ela entra no carro,
mas balança a cabeça, triste.

Minha mãe, sempre tão organizada
& preparada, a chefe

do pequeno spa que gerencia,
parece perdida & tensa.

Eu observo o carro
até que vire a esquina

& seguro o impulso
de ir atrás,

de chamar Ma & pedi-la
para voltar. Para não ir embora.

Jamais.

------◆-------

Estou acostumada com relógios. Com usar o tempo para vencer.
Com bater num temporizador com força

como se para calar uma boca atrevida.
Não é preciso ser Deus para controlar o tempo.

Para aprender sobre velocidade. Eles dizem que o avião

caiu rápido demais. Rápido demais para dar tempo de usarem coletes salva-vidas.
Ou para seguirem planos de emergência.

Perpendicular demais para ser reajustado   a tempo.
Para um plano de resgaste ser feito. Quando a Guarda

Costeira chegou à cauda que afundava, eles já estavam debaixo d'água
há horas. Só o impacto já teria sido o bastante para matá-los.

Ninguém emergiu. As portas nunca se abriram.
As máscaras de oxigênio nem chegaram a cair.

Sem falta, na maioria dos dias que estou na escola,
sou enviada à orientadora.

Mas não tenho nada a dizer.
Ela me pergunta como estou. Porra de pergunta idiota.

Quero dizer a ela que às vezes acordo
e encontro marcas nas palmas

porque apertei as mãos enquanto dormia,
as unhas arranhando a pele & deixando marcas de raiva.

Nos dias em que acordo sem marcas, fico com raiva de mim mesma.
Não deveria haver pausas deste luto. Nem mesmo durante o sono.

Não digo isso. Não digo nada.
Mastigo as balinhas de menta que ela oferece & espero o sinal tocar.

-------◆-------

Em dias como este, em que falto à escola,
vou à casa de Dre.

Mesmo quando ela não está lá.

A dra. Johnson me abraça
& diz para que eu dê tempo ao tempo. O semestre acabou

há algumas semanas, & ela não dará aulas
por mais algumas semanas.

Eu decido organizar os livros na biblioteca da sala de estar deles
enquanto espero Dre chegar em casa.

Passos bem-definidos: organizar os livros por gênero,
e então por ordem alfabética em cima da mesa da sala de jantar.

Desde que se mudaram para cá, a dra. Johnson me empresta
vários livros. Me empresta jogos,

& o Wi-Fi, & uma xícara de açúcar se Mami estiver fazendo um bolo.
& eu queria poder pegar tempo emprestado,

ou espaço, ou respostas. Digo isso à dra. Johnson,
& ela me dá tapinhas na mão.

— Permita-se ficar de luto, querida.
Você não pode fugir do que te machuca,

ou, como um cão que fareja o medo,
o luto vai continuar te perseguindo para sempre. —

Volto a empilhar os livros.
Ordem. Lógica. Segurança.

Mais tarde, quando Ma chega em casa,
procuro em seu rosto sinais de como está se sentindo.

Ela está tão bem-arrumada quanto eu a deixei esta manhã.
Mas seu rosto está pálido & suas mãos tremem

quando ela me entrega a bolsa. Ela não diz
quanto custou para pôr um sorriso no rosto hoje.

Às seis em ponto, Mami & eu vamos à uma sessão de terapia de luto.
É a terceira vez que a associação dos moradores nos convidou.

Há um conselheiro que fala espanhol & um padre.
Mami agarra minha mão, suas bochechas pálidas mais pálidas ainda.

A sala está cheia. & mesmo antes que alguém fale,
há várias pessoas chorando em silêncio.

A dor zumbe pela sala, como uma TV no mudo,
& não há botão para desligá-la.

O psicólogo pergunta sobre perda.
Não sei como dizer em espanhol:

> *Sou uma boa perdedora.*

Muitas vezes. Muitas coisas. Cometi erros
que me fizeram perder a partida.

Contra quem Mami e eu estivemos jogando? Foi Deus que ganhou?
Papi perdeu? Sei que nós perdemos.

Como os riscos podiam ser tão altos?
Estamos sentados em círculo.

Um homem diz que os pais estavam no voo;
eles estavam retornando a Santo Domingo para curtir a aposentadoria.

Uma jovem com cabelo liso até a cintura
diz que seu marido havia acabado de voltar do exército;

ele estava indo visitar a irmã
& o local onde nascera pela primeira vez em vinte anos.

Ouvimos sobre uma garotinha indo visitar a avó,
sobre um jovem casal indo para a lua de mel.

As histórias pairam na sala como luzes piscantes
que eu poderia tocar. Mais de oitenta porcento das pessoas naquele voo

tinham conexão com a ilha. Voltando para casa.
& quando é a vez de Mami falar, sua voz suave diz apenas:

— Meu marido voa até lá todo ano.
Sinto como se o perdesse de novo   todas as manhãs quando acordo. —

Raiva preenche meu peito e se emaranha com as palavras
que eu pretendia dizer. A dor de Mami parece faminta.

& pela primeira vez eu me pergunto se agora que Papi morreu
ela vai descobrir o que eu sei? O que não fui capaz

de contar para ela por mais de um ano, porque eu não quero
que sofra. Porque eu tenho medo do tipo de mudança

que esses segredos trarão para as nossas vidas.

& se ela não descobrir, significa que a única pessoa
na minha família que sabe o segredo de Papi sou eu?

Quando é minha vez de falar, eu mordo o interior das minhas bochechas.
A única coisa que dou ao círculo é um sorriso apertado & um encolher de ombros.

Em um acordo silencioso, Mami & eu concordamos que não vamos voltar.
As emoções nesta sessão em grupo

tomaram nossos corpos
& não temos   não temos   não temos mais espaço.

------◆-------

Meu antigo treinador de xadrez liga quando chegamos em casa
depois do aconselhamento. Estou lavando a louça,

limpando pratos que Mami & eu enchemos de comida, mas não comemos.
Minhas mãos estão ensaboadas quando Mami me entrega o telefone.

A voz do treinador Lublin é gentil, me acalma;
é a voz que ele usa quando um iniciante

perde um torneio para uma criança com metade de sua idade.
— Yahaira, estamos todos pensando em você. —

O treinador & eu trabalhamos juntos por dois anos.
Ele não pareceu surpreso quando deixei o time de xadrez,

como se já soubesse que eu não estava de fato interessada.
Ele sempre sorri para mim no corredor

& me convida para aparecer nos treinos,
mas nunca me pressionou para voltar ao time.

Quando escuto sua voz,

meu coração se aperta como uma esponja torcida,
& eu me pergunto o que acontecerá com o telefone

se eu o deixar cair na pia cheia d'água. Flutuará na espuma
ou afundará?

Como a água aprende a se reajustar ao redor do novo objeto?
Poderíamos mergulhar o telefone em arroz para revivê-lo?

Mami levanta os olhos bruscamente da mesa
e me dá *aquele* olhar.

— Obrigada, treinador — eu digo a seus comentários gentis.
Quem diria que a morte deveria ser tão educada?

------◆-------

Nosso apartamento tem sofás de couro com capas de plástico,
janelas com cortinas cheias de babados;

minha mãe decora com grandes laços,
de cores combinando com cada estação.

Há um pequeno pátio nos fundos
onde no verão fazemos churrascos para a família

& os vizinhos. Diferente da família da maioria dos meus amigos,
Papi & Ma são donos do nosso apartamento.

Compraram quando descobriram que
Mami estava grávida de uma menina.

Papi disse que suas rainhas precisavam de um castelo
em Morningside Heights.

Mais & mais, eu me sento na saída de incêndio
apenas para ter uma chance de respirar.

Nossa casa hoje em dia é uma garganta entalada.
Não posso me expirar pela porta da frente.

Não é um castelo. É um altar para um homem,
um templo da National Geographic;

a casa é uma tristeza viva, & quando Mami anda
pelos corredores à noite, até o assoalho chora.

------◆------

Quinze dias depois

É sábado.
Passa das três da tarde.

Estou deitada na cama.
A campainha toca.

Talvez Mami atenda.
Passos no corredor.

Caminhar suave
que não pertence

a Tío Jorge ou Mami.
Sussurros do lado de fora da minha porta.

Mais de uma pessoa
entrou.

A voz trêmula de Mami
& um tom mais firme.

Minha porta é aberta.

Mantenho os olhos fechados.
Se forem intrusos,

espero que roubem tudo,
especialmente o peso no meu peito.

Escuto tênis
pisando no chão.

Então um corpo se senta na minha cama.
— Chega pra lá — diz Dre. —

Ela deve ter vindo
com a dra. Johnson,

senão teria entrado
pela janela.

Estou certa; escuto o murmúrio firme
da dra. Johnson interrompendo

a voz engasgada da minha mãe.

Dre põe os braços ao meu redor.
& é a primeira vez que eu me deixo ser abraçada

desde que Papi morreu.

------◆-------

Quando Dre pega a acetona
do topo da minha escrivaninha, fico surpresa.

Se não fosse por mim, a única decoração
nas unhas dela seria os resquícios de terra.

Mas não é com suas próprias unhas que ela está preocupada.
Ela pega uma bolinha de algodão

& começa a remover o esmalte das minhas.
Apesar de ter feito a mesma coisa pelas unhas de Mami

ontem, é só agora que percebo,

que o meu esmalte está descascado.
Quando minhas mãos

estão limpas & ela terminou de lixar minhas unhas,
eu seguro seu rosto. Seus olhos estão calmos.

Minha namorada de alma antiga. Sempre observando.
Sempre tomando conta de mim.

Dividimos o mesmo ar antes que eu a beije,
antes que eu lute contra as lágrimas.

------◆-------

Identificações foram feitas,
& o sorriso de dentes de ouro de Papi estava entre elas.

Tío Jorge & sua esposa,
Tía Mabel, chegam às 16h05.

A irmã de minha mãe, Tía Lidia,
& meu primo Wilson chegam às 16h32.

Os primos de meu pai, que trabalham no bilhar,
chegam às 17h12.

A família traz comida, Bíblias,
com sulcos de preocupação em suas testas.

Não há música tocando.

Os homens conversam em voz baixa na sala de estar
& bebem Johnnie Walker.

Quando Tía Lidia & Mami vão ao quarto rezar,
Tía Mabel assume o posto de general de logística,

fazendo as coisas que Ma não pode
ou não quer fazer.

Ela liga para um primo para falar sobre as flores;
para uma vizinha de infância, sobre os custos do caixão.

Liga para uma igreja a alguns quarteirões de distância
para que o nome dele seja lido na missa por uma semana.

Ela liga para um parente na República Dominicana,
que fala por um longo tempo.

Uma ligação é feita para o jornal *El Diário*
sobre o obituário.

Meu primo Wilson fica no telefone com a companhia aérea,
tentando descobrir quando podemos pegar o que sobrou.

As outras mulheres retornam do quarto.
Os olhos de Mami estão secos & inchados.

A discussão se torna um plano para o velório
& se os restos mortais devem ou não ser levados para a República Dominicana.

Meu pai era quem reunia a família,
& mesmo morto, ele nos traz para casa.

Tío Jorge se afasta dos homens
quando me vê de pé

na porta da sala de estar,
passando o peso do corpo de uma perna para a outra.

Ele me leva até a cadeira favorita do meu pai,
E sem jeito, acaricia meu cabelo. Eu me aconchego a ele.

Tío Jorge & Tía Mabel não têm filhos,
mas teriam sido ótimos pais.

Tío Jorge sabe escutar.
Mesmo que tudo o que haja para ouvir seja o silêncio.

Ficamos sentados assim por muito tempo.
Ele acariciando meu cabelo, eu respirando

seu perfume familiar.
                              Sei que dói nele

como dói em mim. Sei que ele sabe o quanto dói
sem que eu precise dizer.

No meio da conversa
sobre os preparativos para o funeral,

eu me levanto da cadeira de Papi.
Vou até antiga vitrola,

seleciono um de seus artistas favoritos
& deixo a música tocar.

Meus tios ficam em silêncio,
minha tia silencia alguém que está ao telefone,

eu me inclino na cadeira dele
& fecho meus olhos.

Uma das músicas de *bachata* favoritas de Papi
invade a sala. É sobre amor perdido,

& embora seja uma música de término,
o lamento de não pensar, não chorar,

não sofrer por outro homem,   a cantora
parece estar cantando sobre este momento.

Antes que a música termine,
Mami bate a mão no disco.

A música para no meio do caminho.

Me parece pertinente.
Terminar bem no meio.

Ela não precisa me dizer
que essa música é inapropriada para o luto.

Eu só precisava dela por um momento
para me lembrar de uma época antes desta.

------◆------

Tía Mabel
pergunta a Mami

onde Papi
será enterrado

enquanto estamos sentados
ao redor da mesa da cozinha

escolhendo
uma foto

para exibir
no velório.

(Comecei a fazer listas na minha cabeça.
De todas as coisas sobre Papi das quais não quero me esquecer.

Se alguém me perguntasse qual é o meu maior medo,
seria esse. Esquecer suas mãos calejadas

com a ponta do dedo cortada na República Dominicana.
Seu dente de ouro que brilhava na luz.

Sua risada alta que me fazia sorrir,
mesmo quando eu estava com raiva dele.

Tento achar uma foto que capture tudo isso,
Papi em movimento. Papi no espaço. Papi iluminado.

Papi, o grande e brilhante sol
onde todos procurávamos luz.

Quero esquecer o ano passado
& me lembrar só das coisas boas.

Nenhuma foto mostra exatamente o que eu preciso,
& então deixo de lado fotos e mais fotos...)

------◆------

Quando Tía fala,

algo brilha nos olhos de Mami, algo que não é exatamente tristeza;
suas mãos firmes contra a cintura.

Ela se abraça com força. Ninguém me olha quando ela diz:
— A família de verdade dele está aqui. O que sobrou dele será enterrado aqui. —

Eu olho para a minha mãe como se a visse pela primeira vez.
Ela parece com raiva. Tento descobrir se ela sabe o que eu sei.

Mas Tía Mabel faz um som agudo,
& eu olho na direção dela.

Sua boca parece com um penhasco de palavras que querem sair rolando,
mas ela aperta os lábios & tira as frases da beirada.

Tío Jorge balança a cabeça.
— Yano sempre disse que queria ser enterrado em casa, Zoila. —

Mami sequer olha na direção dele.
— Ele não será enterrado lá. Sou a esposa dele. —

Meu coração bate forte.
Ela sabe? Ela sabe? Todos eles sabem?

Tío balança a cabeça & tira uma pasta da maleta.
— Você pode até ser a esposa, Zoila, mas não é a vontade dele. —

Ele coloca um documento sobre a mesa da cozinha.
Minha mãe pega os papéis

como se eles fossem dentes afiados.
Então ri. — Quer dizer que para *isto* ele se preparou? —

— &... — Tío me encara. — A outra questão também, Zoila. Você concordou. —

Mami deixa os papéis de lado sem lê-los,
alinhando-os & alisando-os como se ajeitasse uma gravata.

Mami fica de costas para nós, perto da janela.
— Ele foi nosso primeiro. & ele será nosso por último.

Pero se é isso o que ele queria, leve-o de volta.
Mas nós não estaremos lá para vê-lo ser enterrado.

Quero concordar com Mami, mas não posso.
A parte de mim que é filha do meu pai,

que sentou em seu colo & riu. Que teve a mão
pacientemente conduzida pela dele, essa garota sabe que não é tão simples.

— Se Papi for enterrado na República Dominicana, quero estar lá.

Ele morreu sozinho & assustado, sem a família por perto.
Sem ninguém que ele conhecia por perto. Ele provavelmente estava pensando
em nós.

Como podemos colocá-lo na terra sozinho
& sequer rezar sobre sua cova? —

Apesar de ainda estar de costas para mim, Mami endireita a postura.

Quanto mais eu falo, mais improvável o cenário parece ser.
Mami não pode ter falado sério sobre não irmos.

Papi não era perfeito, mas ele não merece isso.
& nós merecemos dizer adeus.

Seus olhos estão marejados quando ela se vira para mim,
mas sua voz é sólida como gelo.

— Yahaira. Seu pai não era santo.
Nem se eu caísse morta agora, eu te deixaria

colocar os pés naquela *tierra*. Tire essa ideia
da cabeça agora. Com ou sem cova. —

Eu pressiono meus lábios para que ninguém perceba como tremem.
& olho para a minha mãe & sorrio.

                              Nunca, nunca mesmo deixe alguém te ver suar.
& se minha mãe prestou atenção

a pelo menos uma das minhas partidas
ela sabe: quando Yahaira Rios sorri

antes de fazer uma jogada,
é bom você se preparar.

------◆-------

Mami é uma mulher boa, é uma mulher boa.
Mami é inteligente & vai às reuniões da escola.

Mami é uma mulher boa, é uma mulher boa.
ela trabalha duro & sempre faz o jantar.

Mami é uma mulher boa, é uma mulher boa.
Ela nunca se esqueceu de me buscar na escola,

Mami é uma mulher boa, é uma mulher boa.
ela costurou meu suéter quando um botão caiu,

Mami é uma mulher boa, é uma mulher boa,
emendou os buracos que fiz na minha calça jeans.

Mami é uma mulher boa, é uma mulher boa,
ela compra presentes atenciosos & dá beijos barulhentos,

Mami é uma mulher boa, é uma mulher boa,
& eu sei que falhei com ela.

-------◆-------

Mami queria uma menina
que ela pudesse criar para ser um espelho de si mesma, & eu nasci

uma boa menina, uma boa menina, mas grande parte de mim
quando eu era mais jovem era

uma cópia de meu pai, como se ele tivesse emitido

uma luz no útero dela & pressionado sua digital
contra a minha testa, me batizando sozinho.

Tenho mantido certas coisas em segredo de Mami,
coisas que uma filha melhor já teria dito.

Sou filha de meu pai, uma filha ruim,
uma filha ruim de uma mulher incrível.

A coisa que descobri
sobre meu pai

é como uma mancha
num vestido branco.

Você torce para que, se não
a olhar, se não

encostar o dedo
na mancha,   então talvez

ela não se espalhe. Então talvez
ninguém perceba.

Mas está sempre lá.
Uma falha gritante.

Papi tinha outra esposa.
Achei a certidão de casamento.

A data no formulário
era de alguns meses depois

do casamento dos meus pais
aqui nos Estados Unidos.

& como se para confirmar
para alguém que encontrasse

aquele envelope
que não havia dúvidas, tinha também

uma pequena foto lá dentro. Meu pai
com uma linda mulher negra

de longos cabelos escuros,
os dois vestidos de branco,

enquanto ela segurava um buquê,
sorrindo para Papi;

enquanto ele olhava direto
& muito sério para a câmera.

Meu pai tinha outra esposa,
& eu sei que minha mãe

não poderia saber.
Não poderia ser o tipo

que ficaria, enquanto seu marido escapulia
ano após ano após ano.

Essa outra mulher,
a razão pela qual meu pai me deixou

nos deixou   quebrou a confiança   ignorou
a família que ele deixou para trás.

& quando ele voltou no verão passado,

Eu não sabia como olhar
na cara dele & fingir.

Então era mais fácil simplesmente não olhar para ele.
Quando as minhas palavras

estavam cheias de veneno, me pareceu melhor
parar de falar com esse homem,

já que a única opção era envenenar todos nós.

Camino ✈ Yahaira

Dezenove dias depois

Não falei com El Cero desde a última vez que ele me abordou,
mas hoje, enquanto torço a água dos meus cabelos,
ele sai de trás das árvores.

Vira Lata estava mastigando alguns ossos quando saí de casa
& não me seguiu até a água,
mas eu ainda olho para o chão esperando vê-lo descansando na sombra.

Um tufo de pelo cacheado e curto escapa
pela gola da camisa de El Cero. Sou lembrada
que ele pode ter o sorriso de um garoto, mas não é um garoto.

Ainda bem que estou perto de casa,
que há casas além da clareira.
Porque neste momento, sou uma garota sendo encarada por um homem:

Não sou uma garota de luto. Não sou uma garota sofrendo.
Não sou uma garota sem pais. Não sou uma garota sem recursos.
Não sou um caso de caridade. Não sou quase-sozinha.

Nada disso importa.

Ele se aproxima, com um sorriso enorme.
— Estou com a minha moto. — Ele aponta. — Quer uma carona para casa? —
Ele agarra meu pulso.

------◆------

Eu puxo meu braço para longe quando
meu celular começa a tocar.
Eu me esforço para pegá-lo no bolso de trás.

O nome de Tía aparece na tela.
— *¿Aló, Tía?* — Eu me afasto de El Cero.
Tía não diz nada,

mas escuto as lágrimas em seu respirar pesado.

— Eles o encontraram. Acabei de saber que há quatro dias
eles encontraram o que restou dele.
& decidiram trazê-lo para casa. —

Eu murmuro para Tía, mas sei que ela não consegue me ouvir.
Um corpo significa que não há milagre a ser esperado;
morto é morto é morto. Por quatro dias eu não soube.

> *Você sabia*, eu digo a mim mesma.

Sabíamos que não havia sobreviventes.
Mas de alguma forma essa prova marreta meu coração.

Alguém precisa acender as velas,
ligar para a funerária & contatar os amigos.
Alguém precisa arranjar as flores & ligar para a igreja.

& a única pessoa sou eu. Coloco o celular no bolso de trás.
Confronto El Cero, cara a cara. — Seja lá o que você quer de mim,
esqueça. Não tenho nada para te dar. —

Fico enojada de saber dessa notícia
aqui, neste lugar que amo, com um homem
que estou começando a odiar.

Eu me afasto dele, mas não antes de ouvi-lo dizer:
— Mas, Camino, você me deve mais do que pensa,
& sempre foi sobre o que eu posso te oferecer, não é?

------◆-------

Quando chego em casa, Tía acendeu velas.
Embora ele não seja irmão dela,
Mal posso imaginar como ela se sente.

Conheço meu pai a minha vida toda.
Ela o conhece a vida dele toda.
Tía foi aprendiz de curandeira quando criança,

com sete anos de idade, e estava na sala quando Papi nasceu;
anos depois, ela o viu se apaixonar por minha mãe.
Ela foi a primeira pessoa a segurar a filha dele.

Mesmo quando ele vinha visitar
a casa que pagou & renovou,
Papi tratava Tía como uma irmã mais velha:

tanto respeito por como ela mantinha a casa,
por suas crenças,
pelas decisões a respeito do meu bem-estar.

Eles eram amigos. Mas até agora
eu não havia pensado sobre o que ela perdeu.
Ele era como um irmão. Além de mim, sua única família.

& neste dia   que encerra toda a esperança
nós nos abraçamos   pensando em um homem
& todas as pessoas que devem continuar a viver sem ele.

Tía diz que ouviu rumores.
Ela está falando comigo na manhã seguinte
enquanto esperamos notícias sobre o corpo de Papi.

Suas mãos arrancam penas de uma galinha.
Ela é metódica, seus dedos rápidos entre as penas
que deixa cair numa sacola plástica na pia da cozinha.

Um grande facão que está sempre ao lado dela
reflete a luz que vem da janela; brilha para mim,
& eu queria poder carregá-lo comigo.

Tía diz que Don Mateo & a mulher que vende frutas
mencionaram ter visto El Cero esperando por mim depois da escola,
ou vindo da praia assim que eu fui embora.

Ela diz que os Santos disseram para ter cuidado.
Eu respiro fundo; quero dizer a Tía que é verdade.
Que tenho medo do que El Cero quer de mim.

A voz dela não tem qualquer emoção.
Mas se dedos podem ser raivosos,
os dela devem estar irados; ela arranca os pedaços com força.

— Te criei para ser esperta. Não é, menina? —
Essa não é a pergunta que ela quer que eu responda.
Sei disso porque ela está falando muito rápido.

A raiva de Tía agora parece ser direcionada a mim.
Esse pensamento interrompe
as palavras que estavam prestes a deixar meus lábios.

— Te criei limpa & alimentada,
mesmo quando meus pés estavam sujos,
e meu próprio estômago roncava. Não é, menina?

Te criei para ter um futuro
diferente daquele que a maioria das garotas
tem por aqui.

Escolhas. Não fiz tudo
para garantir que você tivesse escolhas? —
As penas enchem a sacola,

& eu queria ser tão leve quanto elas.
Mas eu me sinto pesada,
as palavras de Tía são como pedras.

Tía acha que eu estive chamando a atenção de El Cero.
De alguma forma, a perseguição dele se tornou
algo do qual eu tive culpa.

A galinha está quase nua.

Crua & depenada, vestida em pele solta.
Um banquete para nossa fome,
um lugar para enterrarmos nossos dentes

já que não podemos morder o mundo.

Eu queria poder dizer a Tía
que El Cero não me deixa em paz.
Eu não fiz nada errado

nem o encorajei de forma alguma.
Ele simplesmente aparece, sorrindo,
esperando.

Eu queria poder dizer a Tía
que não sei o que fazer. Que
tenho medo que ele me encurrale.

Queria
poder dizer a Tía, mas o que
Tía faria se soubesse? Ela é mais velha,

com pouco dinheiro. Ela é
respeitada na vizinhança
& amada pelas pessoas para quem

oferece seus serviços, mas El Cero ocupa
um mundo de homens que pouco ligam para curandeiras
& muito menos para meninas

que representam pouco mais do que dinheiro.
Don Mateo é velho. Tío Jorge não me conhece.
Não há ninguém para parar El Cero. Não mais.

O que El Cero faria a Tía
se ela tentasse enfrentá-lo?
Eu não consigo nem imaginar.

Sou de um local de lazer.
Nossos oceanos   dos quais precisamos para pescar
são limpos para que *extranjeros* possam surfar.

Nossa terra, exuberante & verde, é comprada
& vendida para poderes estrangeiros construírem
hotéis de luxo onde outros descansem suas cabeças.

As bananas & *yucca* & cana-de-açúcar
plantadas & colhidas, exportadas,
enquanto crianças agradecem a Deus por seus restos.

O mundo desenvolvido desperdiça gás,
aumenta a emissão de carbono & o nível do mar
que ameaça sumir com a gente em um só gole.

Mesmo as mulheres, garotas como eu,
nossas mães & *tías*, nossos corpos
são trepa-trepas de marca.

Homens com sotaque nos escolhem
como itens em um catálogos para escalar
& deslizar & balançar. & ele?

El Cero? Ele tem mãos nos bolsos de todos.

Se você não é de uma ilha,
não consegue entender
o que significa ser de água:

aprender a curvar-se com a onda,
aprender a subir com a chuva,
aprender a saciar uma sede estrangeira,

enquanto durante todo esse tempo
você fica vazio
até que não haja nenhuma gota
deixada para você.

Sei que é isso o que Tía não diz.
Areia & solo & tendão & sorrisos:
tudo trocado. & quem colhe? Quem come?

Nós não. Eu não.

------◆-------

Tía pensa que meninas não devem usar preto da cabeça aos pés.
Eu tinha treze anos na primeira vez que ela me deixou comprar um vestido preto
que eu queria para a formatura do ensino fundamental.

É o mesmo vestido preto que eu tiro do armário
para usar no encontro com o padre.
Ainda serve. Eu deslizo as alças pelos ombros.

Visto meias pretas, apesar do calor lá fora.
Tía sequer pestaneja quando me vê.
Ela só se vira para que eu abotoe sua blusa branca.

Ela também usa um turbante branco.
Sei que o padre não vai aprovar, mas Tía não liga.
Ela está protegida por seus Santos,

& eles a deixam corajosa, ou ousada, ou seria a mesma coisa?
Estar toda de branco assim mostra a sua total devoção pelos Santos,
& nossos padres não querem saber o que é praticado em segredo.

Tía & eu encaramos o espelho. As duas emolduradas em cobre.
Lágrimas se acumulam em seu olhar, & eu imediatamente as seco
onde elas se juntam nas rugas em volta de seus olhos.

Ela não recusa meu toque. Se aconchega em mim.
Tía não acha que garotas devam usar preto.
Mas se eu não era uma mulher antes de hoje,

acho que sou agora.

Quando pergunto a Tía
se o irmão de meu pai, Tío Jorge,
virá com o corpo de Papi,

ela hesita por um longo momento
& enrola o dedo em uma mecha solta
que se libertou do turbante.

— *Bueno, te digo que no sé.* —
Mas seus ombros tensos
me dizem que ela sabe mais

do que está me contando.
Eu a olho de canto de olho
& entramos de braços dados na igreja.

— Como vamos preparar o funeral
se não soubermos quem virá?
As pessoas ficarão hospedadas conosco?

Quanta comida será necessária? —
Centenas de outras perguntas se tornam dentes-de-leão,
se espalhando no ar entre nós,

mas Tía balança a cabeça,
& não faz
nenhum pedido.

No meio da noite,
    Tía me acorda de um sonho
        em que estou caminhando por Nova York

gritando o nome do meu pai.
    A princípio, acho que devo estar gritando alto,
        mas, quando meus olhos se ajustam à escuridão,

vejo Tía carregando sua mala de curandeira.
    Rápido, visto uma calça jeans e calço os chinelos.
        Não me dou ao trabalho de colocar um sutiã ou pentear o cabelo.

Sei pela maneira preocupada com que ela remexe a bolsa
    que essa é uma emergência.
        Como se já não tivemos muito com que lidar.

Quando vamos lá para fora, um jovem nos espera.
    Sombras escurecem seu rosto, mas quando me aproximo,
        vejo que é Nelson, namorado de Carline,

que ficou de olho nela desde que ela tinha cinco anos
    & quando jogávamos água do mar uns nos outros
        como se tivéssemos descoberto nosso parque aquático particular.

Ele deve ter sido enviado para nos buscar.
    Eu não pergunto o que há de errado. Há apenas uma razão.
        Andamos pelas ruas esburacadas no escuro;

a roupa branca de Tía é um ponto de luz na noite apagada.
    Ainda bem que conhecemos essa vizinhança decrépita
        tão bem quanto a palma de nossas mãos.

Ela para de frente a uma casa amarela,
& a luz deve ter acabado
porque lá dentro está um breu,

exceto por duas velas queimando na janela.
    A *maman* de Carline abre a porta.
        Embora esteja escuro, posso ver que a casa de um cômodo

foi varrida & lavada.
    Mas ainda é muito pequena para todas as pessoas
        que precisam caber lá dentro:

Maman & o pai de Carline,
    um homem mais velho que raramente sorri,
        & Tía & eu & Nelson.

& Carline. & o bebê de Carline   tentando sair.

O rosto de Carline está vermelho & suado; ela está esparramada num sofá desbotado, as mãos agarrando a barriga.

------◆------

Eu seco a testa de Carline.
Tía faz perguntas à *maman* de Carline
em sua calma voz de *curandera;*

— Quando as contrações começaram?
— Qual foi a última vez que ela foi à clínica?
— A bolsa estourou? Faz quanto tempo?

Carline segura minha mão com força,
& eu tento acalmar suas preocupações com o meu toque.
Se há algo a ser feito, Tía fará.

Carline deveria estar em um hospital,
mas Maman diz que o bebê está vindo rápido demais,
& eles entraram em pânico pensando sobre o que fazer.

Não é uma coisa fácil de fazer,
pais haitianos levarem sua filha
para dar à luz em um hospital dominicano.

Já há muita tensão ao redor
de quem precisa de cuidados; não posso culpar Maman
por estar muito assustada.

As perguntas de Tía são tão firmes quanto a mão
que ela pressiona na barriga de Carline; como *curandera,*
Tía é implacável, canalizando algo além dela mesma.

Eu desdobro enormes e brancos lençóis & os enrolo em almofadas
para proteger o lugar onde Carline dará à luz.
Uso a lanterna do celular para trazer as minhas coisas para dentro da casa.

Tía ajuda Carline a se levantar & sustenta seu peso,

então reza & chama os espíritos protetores para a sala;
eu procuro na bolsa & pego um chá feito de tomilho;
o pai de Carline parece sério, mas vejo suas mãos tremerem

quando ele as pousa nas costas da cadeira.
Ele sussurra em *créole,*
& me pergunto se ele está rezando também.

Tía ajuda Carline a ficar mais confortável
no local de parto que montei. Ela instrui Carline a respirar,
empurrar, esperar. Eu coloco toalhas grossas no chão.

Nelson corre para me ajudar;
seus dedos se movendo rápido enquanto ajeitamos tudo.
O medo escurece a sala, uma neblina espessa,

mas a voz calma de Tía é uma chama cortando a escuridão.
Eu troco de lugar com Tía, & meus braços pesam
por estarem atrás de Carline, segurando-a;

estou suando quase tanto quanto ela.
Tento respirar fundo enquanto apoio minha melhor amiga.
Tento não pensar em todas as maneiras que um parto prematuro pode dar errado.

O rosto de Tía está vermelho & seus olhos cansados,
embora não dê para notar por seus movimentos firmes.
— Um último empurrão, *niña*, o bebê está vindo. —

Carline parece não ter mais energia.
Ela está ofegante, os olhos bem fechados,
& temo que este não seja o último empurrão...

— Vamos, Carline — sussurro.
— Você não carregou o bebê todos esses meses
para desistir agora. *Con fuerza!* —

Eu limpo o suor da testa dela,
& ela chora na dobra do meu braço,
mas empurra. & empurra. & empurra:

o corpinho cai nas mãos preparadas de Tía
como uma fruta enrugada de uma árvore que foi balançada.
O menino é pequeno. Silencioso.

------◆------

Tía é uma mulher tecida em milagres;
o motivo pelo qual as pessoas que têm medo dela
& de sua mágica   ainda a chamam nas piores emergências

é porque Tía é uma mulher que fala com os mortos,
que negocia com os espíritos, que solta seus dedos
quando eles se agarram ao pescoço de alguém que quer viver...

Nem sempre funciona... sei bem
que às vezes Tía chega tarde demais; às vezes o pedido é muito grande
& a barganha de Tía não é suficiente; às vezes

Tía é apenas uma curandeira com mãos calejadas,
e uma voz imponente, com óleos & chás,
essa mulher segura um bebê que não é seu,

e diz: — Ven   *mi'jo*   *ven.*

------◆-------

Às vezes, Tía é mais:

chama a vida quando ela estava prestes a se esvair,
& a sala segura a respiração como se pudéssemos dá-la de presente à criança.
& Carline chora, & Tía reza & evoca & persuade

a criança a respirar respirar respirar
pressionando dois dedos contra seu peito
batendo o coração por ele   ignorando

a moleza do corpo & o azul dos lábios,
o choro coletivo na sala,
os espíritos que o receberiam do outro lado do véu.

Tía enche a boca de ar
& sopra na boca da criança:
faz isso de novo & de novo

do corpo dela ao dele   até que parece impossível
esse trazer à vida
quando a morte ronda a sala

& então o bebê inspira   um arquejo profundo

    no instante em que a eletricidade volta ao *barrio*

      & a pequena casa se enche de luz brilhante.

------◆-------

Eu tenho estado tão cercada
de morte, & afogamento, & funerais,
que parece uma coisa incrível

ver este bebê puxar o ar.
Ver esta criança que não deveria estar aqui
não só aqui, mas   *aqui.*

Através das minhas próprias lágrimas, vejo que todos estamos chorando.
& cansada, Carline segura a criança perto
de seu peito & agarra a minha mão.

Tía instrui quais chás herbais preparar,
quais pomadas passar, & dá conselhos sobre dar de mamar.
Ela voltará se Carline precisar de ajuda para enrolar o bebê.

Maman me segura contra o peito quando estamos saindo;
ela agradece & me dá alguns pesos.
Diz que lavará os lençóis antes devolvê-los.

Carline segura a criança; Nelson segura o boné.
O velho nada diz,
mas lágrimas descem por suas bochechas enquanto ele nos leva até a porta.

Camino ✈ **Yahaira**

Fizeram um memorial
do lado de fora do bilhar de Papi.

Debaixo das luzes verdes,
onde ficam os seguranças,

está pendurada uma foto
de Papi sorrindo,

erguendo um copo (do que eu acho
ser uísque) para a câmera.

Dre insistiu em vir comigo,
& está logo atrás de mim.

Eu me ajoelho & toco
os presentes que as pessoas deixaram em homenagem a Papi:

coroas de flores, tantas flores,
embora Papi sempre dissesse:

— Porque pagar
por algo que morre em uma semana? —

As bugigangas fazem um caroço
do tamanho de uma bola de bilhar dentro da minha garganta:

um bilhete de loteria,
um pote de graxa para sapatos,

uma pequena bandeira da República Dominicana,
um cartão de baseball de Robinson Canó,

uma miniatura
de um homem vestido de vermelho & preto.

Na aula de história aprendemos
que os gregos faziam questão de ter

uma moeda no bolso quando morressem
para garantir que o espírito pudesse pagar

pela travessia para o outro lado;
lembrando disso, eu dou a Papi

o único tipo de passagem segura que posso oferecer.
Me ajoelho no concreto frio e duro

& pesco a peça de xadrez do meu bolso.
Coloco a peça preta e polida

ao lado de uma vela acesa:
uma rainha para protegê-lo no caminho.

------◆-------

O bilhar de Papi sempre foi
um local de reuniões, & quando estou do lado de fora

me lembro da última vez em que estive aqui. Foi depois de uma partida;
Papi me levou até o seu salão de bilhar para celebrar.

Ele raramente fazia isso, dizia que bilhares
não eram para crianças, especialmente uma criança *sua*.

Mas naquela noite ele queria mostrar
meu troféu para seus empregados & amigos.

Me surpreendeu com bolo & um copo de Coca-Cola,
no qual ele colocara um pouquinho de rum.

Digitou um código no *jukebox*,
e as músicas de *bachata* tocaram a noite toda.

Meu pai deixou o país algumas semanas depois.
Logo em seguida, parei de jogar xadrez.

------◆------

Fico quieta no caminho de volta.
Minha cabeça apoiada no ombro de Dre

enquanto a respiração dela sopra delicadamente no meu cabelo.
Ela sabe que eu odeio andar de trem sozinha;

é uma das razões, eu acho,
de ela ter me acompanhado hoje.

Da última vez que joguei xadrez,
ganhei de um rapaz chamado Manny

com quem já tinha jogado antes –
ele sempre sorria para mim do outro lado da mesa,

segurava minha mão por tempo demais quando nos cumprimentávamos
& aceitava a derrota & a vitória graciosamente –,

mas esta história não é sobre Manny;
é sobre ganhar,

sobre se sentir no topo do mundo,
sobre sentir como se uma estrela houvesse nascido dentro de mim

& talvez brilhasse no meu rosto
ou se refletisse no meu troféu no verão passado

quando estava na plataforma da estação de trem
& me preparava para ir embora.

Papi estava na República Dominicana na época, então fui à partida sozinha.
Era dia & o trem estava cheio

& entrei, com as minhas costas contra um homem
que se apoiava nas portas do trem...

------◆-------

& quando eu senti um aperto na minha perna
pensei que fosse sem querer & quando senti dedos

subindo pelas minhas coxas, achei que estivesse enganada
& quando ele me tocou debaixo da minha saia com a mão aberta

deixei cair meu troféu   mas não gritei,
não fiz escândalo   não o xinguei

não havia estratégia   não havia plano alternativo,
não havia como ganhar, havia apenas eu   presa,

& sendo tocada em público, no trem   acelerando
em direção ao norte   coração   respiração

doente   perdida   a raiva não tem lugar no tabuleiro
eu estava impotente no meu sentir   nunca os deixe

te ver suar   suor pingando na minha sobrancelha

eu acho que não   gostei. Demorou mais do que uma parada
mais do que duas   mais do que três

sabe o que eu quero dizer
meu corpo   não era o meu corpo   não poderia

ser meu   ele desceu na Ninety-Sixth Street
não peguei meu troféu do chão   não chorei

até chegar em casa   até Dre entrar
pela janela & me ver tremendo & me segurar

apertado & não me perguntou nada, mas ainda assim sabia
deveria saber   porque ela preparou o banho

& dobrou minha saia no canto mais escondido
do meu guarda-roupa & nunca falamos sobre isso

não chorei mais por causa disso   mas eu sabia
que precisava falar com Papi

tinha esperança de que ele tivesse algumas palavras de sabedoria,
alguma resposta. Mas quando liguei, ele não atendeu.

------◆-------

Quando passou o choque do que aconteceu no trem,
tentei freneticamente entrar em contato com ele.

Queria falar com o homem mais
protetor da minha vida; queria que ele, de alguma forma, desfizesse o que tinha
    acontecido.

Eu tinha uma partida dali a dois dias, & queria dizer a Papi
que não queria ir. Eu precisava de um descanso.

Não sei por que pensei que precisava da permissão dele.
Depois de três dias sem resposta,

abri o armário onde Papi colocava
todos os documentos da empresa em uma pasta.

Mas todos os papéis eram dos bilhares daqui.
Nada com o código de área da República Dominicana.

Então, no fundo do armário,
meio escondido entre outras pastas, coberto de poeira,

estava um envelope lacrado.
Eu sabia que devia deixá-lo no lugar.

Eu sabia que não era o que eu procurava.
Mas abri mesmo assim.

------◆-------

Depois do que descobri & do que aconteceu no trem.

Faltei a dois torneios.
Para os quais foi difícil me classificar.

Mas na noite do terceiro torneio.
Papi me ligou bufando   & ofegando.

Ele havia recebido um e-mail do comitê do torneio.
Me desclassificando das outras partidas que aconteceriam no verão.

Quando atendi à ligação.
Papi não perguntou se estava tudo bem.

Não perguntei por que ele leu aquele e-mail,
mas ignorou minhas mensagens, nem me ligou de volta.

Ele não me deixou falar.
Ele não perguntou por que respondi com tanta raiva.

& a verdade é que   eu não acho que teria contado a ele.

Sobre o homem   & a mão   debaixo da minha saia. Na minha calcinha.
Sobre a certidão no armário que fazia de meu pai um mentiroso.

Mas nunca saberei. O que eu teria dito.

Porque Papi não perguntou.
Ele apenas brigou & disse que estava decepcionado.

Depois que ele desligou. Sussurrei no telefone.
Todas as formas com as quais ele me havia decepcionado.

Se Papi queria o meu silêncio.
Jurei naquele dia que ele receberia.

Quando Papi voltou para casa.
Algumas semanas antes de as aulas voltarem.

Ele reclamou com Mami sobre como eu tinha me tornado mimada.
Ele entrava em um cômodo & gritava que eu precisava crescer.

Eu simplesmente ia para o meu quarto.
Ou escalava a janela de Dre.

Para evitar olhar na cara do meu pai.

------◆-------

Vinte e um dias depois

É o último dia de aula.
Caminho pelos corredores da escola

como se um alienígena tivesse tomado meu corpo.
Meus braços não funcionam como antes.

Tento erguê-los para pegar meu boletim.
Tento fazê-los pegar um lápis para assinar minha saída.

Tento abrir o armário para pegar meus livros.
Tento impedi-los de tremer.

Mas eles só tremem um pouco,
& é Dre quem sussurra & me lembra

que eu consigo fazer isso. Continuar respirando, digo,
quando parece que a menor das coisas é trabalho demais.

Acho que continuo esperando que, se eu ficar parada,
doerá menos quando a lembrança me invade:

faz três semanas.
Não tenho mais pai.

Representantes de seguro da companhia aérea nos visitam.
Tío Jorge & Tía Mabel já estão aqui.

Embora Tío Jorge tenha sido advogado na República Dominicana,
ainda acho que devíamos ter um advogado que possa exercer a profissão aqui,

mas ninguém me escuta.
Os representantes da companhia aérea abrem uma pasta

& listam as descobertas iniciais do Conselho Nacional de
Segurança do Transporte.
Faço questão de memorizar o nome

da organização que investigará o que aconteceu.
Quando eles terminam, nos encaram cheios de expectativa.

Tío Jorge pega o relatório & vai até a janela da cozinha,
lendo na luz do sol poente. Mami olha para mim

& sei que ela quer que eu traduza; ela não entendeu tudo.
— *Dinero* — digo baixinho. Um pagamento antecipado, para ser exata.

Tanto dinheiro pela vida de meu pai.
— *Un medio million* — sussurra Tío Jorge.

Todos ficam em silêncio. Mami começa a chorar,
arranhando a unha feita na mesa de madeira

até que o barulho esteja perfurando
meus ouvidos, & eu coloque minha mão sobre a dela.

------◆-------

Os representantes — da companhia aérea

dizem — não dizem
queixa. — *sofrimento.*

dizem — não dizem
sem precedente. — *queda.*

dizem — não dizem
falha mecânica. — *morto.*

dizem — não dizem
erro do piloto. — *pai.*

dizem — não dizem
apólice de seguro. — *papi.*

dizem — não dizem
compensação antecipada. — *o nome dele.*

dizem — não dizem
acidente. — *desculpe.*

dizem — — peçam
perda. — *desculpas.*

Eu digo:
— Peçam desculpas.

Coisas que você pode comprar
com meio milhão de dólares:

um carro que mais parece
uma criatura espacial do que um carro.

Uma bolsa de grife
para carregar um cachorro pequeno. Um cachorro pequeno.

Um show do seu cantor
favorito no seu aniversário.

Uma garrafa de rum dominicano
incrustrada de diamantes.

Uma mansão. Um iate. Quarenta
hectares de terra. Casas, mas não lares.

Todos os quatro anos da faculdade
ou da escola de estética & o diploma.

Quinhentos voos
para a República Dominicana.

Meio milhão de conjuntos de xadrez na loja de um dólar,
com caixa e tudo.

Cem mil cópias
de *A Tempestade*, de Shakespeare.

Aparentemente   um pai.

Tanto dinheiro assim

me faz pensar
num programa de prêmios na TV.

& eu queria
poder ligar para um amigo

ou usar uma ajuda.
Eu queria que um apresentador sorridente

me desse um tapinha na mão & me fizesse
consultar a plateia,

perguntando
o que chutar a seguir.

Meio milhão de dólares
é mais do que meu pai

jamais ganhou,
mais do que Mami ou eu

sequer possamos imaginar.

Tío Jorge diz
que ainda deveríamos processar a companhia aérea.

Tío Jorge diz
que pode levar anos, mas teremos um acordo.

Tío Jorge diz
que pode cuidar das finanças.

Tío Jorge diz
que pode vender os bilhares.

Tío Jorge diz
que pode abrir uma poupança para mim, e assim o dinheiro estará seguro.

Tío Jorge diz
que pode contratar um consultor financeiro ou um contador.

Tío Jorge diz
que devemos reservar dinheiro para o imposto.

Tío Jorge diz
que o dinheiro ajudará com os custos do funeral.

Tío Jorge diz
que não devemos contar ao resto da família.

Tío Jorge diz...

Mami o interrompe:
— Jorge. Você era o *consentido* de seu irmão.

& agradeço seus conselhos.
Mas quem precisava deles era ele

& você não deu conselhos quando ele estava aqui. —
Eu olho de Mami para Tío Jorge,

tentando entender o que não está sendo dito.
Mami sabia sobre a certidão?

Tío sabia? Mami deve ter percebido quão dura soou,
porque esconde as mãos debaixo das coxas.

— É só que... quero dizer que
Yahaira & eu vamos dar um jeito sozinhas. —

Nunca ouvi Mami
falar desse jeito com Tío Jorge.

Tía Mabel olha para baixo,
seguindo os sulcos na madeira da mesa da cozinha.

Tío Jorge sela os lábios tal qual um envelope
& em silêncio deixa a sala.

------◆-------

Há um jardim comunitário
na esquina

onde sei que encontrarei Dre
quando ela não está em casa

ou não atende o telefone.
É seu paraíso,

& já que ela é o meu,
vou até lá & sento em um banco.

Observo suas costas curvadas,
o boné de um roxo vibrante

colocado sobre seu cabelo curto
enquanto ela cantarola algo

que eu acho
que está tocando em seus fones de ouvido.

Provavelmente Nina Simone.
Dre ama a dona Nina.

A escuta quando sente falta do pai.
A escuta quando está com raiva.

A escuta quando assistimos vídeos nas redes sociais
sobre outro garoto negro baleado   outra garota negra abordada

outro jovem esfaqueado do lado de fora de uma *bodega* no Bronx.
A escuta enquanto pinta cartazes de protesto;

Dre escuta Nina quando duas garotas de mãos dadas são espancadas
ou alguém que prefere ser tratado por pronome neutro

sofre *bullying* & a situação viraliza...
                    Dre escuta Nina.

Coloca "Mississipi Goddam" para tocar.
Eu? Eu quero socar algo. Quero gritar

até destruir o mundo.
Mas a Dre? Ela fica com um brilho nos olhos

como se estivesse pensando que pode nos transportar, todos nós, para um novo
     planeta,
onde possamos crescer com raízes profundas & empáticas,

onde nos desenvolveremos & floresceremos como casas na árvore &
Nina vai chover & Nina vai soprar & Nina será a luz do sol;

Devo ter feito algum barulho enquanto pensava,
porque Dre se vira, inclina a cabeça,

tira o fone & o coloca no meu ouvido.
Então volta a colocar terra ao redor dos pezinhos de manjericão.

Birds flying high   *you know I feel*[3].

------◆-------

---

3 "*Pássaros voando alto, você sabe como me sinto*", em tradução livre. Trecho da canção "Feeling Good", interpretada por Nina Simone. (N.T.)

Camino ✈ Yahaira

Tía sussurra com raiva no telefone, de novo.
Ela entra no *balcón* como se a pequena distância
me impedisse de ouvir.

Quando a ligação termina, vou me sentar com ela.
Nos balançamos juntas nas cadeiras & não acendemos a luz da varanda
quando escurece & libélulas voam sobre nós como halos incandescentes.

Tía nunca mentiu para mim. Desde o início,
ela respondeu todas as minhas perguntas.
Fosse sobre sexo, ou garotos, ou cura ou os Santos.

Continuo me balançando perto dela. Às vezes as palavras
precisam de tempo para se formar; os minutos como tábuas,
construindo uma rampa para fora da boca.

Esta noite, Tía cantarola baixinho.
Quando ela de repente para de se balançar,
eu diminuo o ritmo da minha cadeira.

O piso de madeira da varanda ecoa um ranger,
& parece que a noite está se preparando
para seja lá o que for que Tía vai dizer.

Eu esmago um mosquito contra o peito.
Meu próprio sangue espalhado na minha pele.
Estou surpresa por não ter notado a picada.

& mesmo assim   eu sei,
que o que Tía dirá
pode não me fazer sangrar,

mas vou sentir.

------◆------

Tía diz:

— A companhia aérea ofereceu dinheiro para evitar os processos.
Meio milhão de dólares adiantado, para ser dividido entre os dependentes.
Era seu Tío Jorge no telefone. É complicado.

Tía diz:

— Nunca quis mentir para você, *mi'ja*.
Seu pai era um homem complexo.
Ele tinha muitas partes & muitos caminhos.

Tía diz:

— Há uma garota em Nova York, da sua idade.
Com as suas características. Com o mesmo pai.
Essa garota nasceu dois meses depois de você.

Tía diz:

— Seu pai se casou com a mãe dela antes de se casar com a sua.
Você pode requerer o dinheiro como dependente, mas
Zoila, a mulher com quem ele se casou, talvez tente te impedir.

Tía diz:

— Ela, a esposa, tem contatos no consulado.
Ela tentou atrapalhar quando seu pai quis te reconhecer.
Ele precisava dos documentos de cidadania dela para te ajudar com o visto.

Tía diz

várias outras coisas, mas eu mal posso ouvi-las.
Tenho uma irmã. Tenho uma irmã. Tenho uma irmã.
Há uma pessoa no mundo, além de Tía, com o meu sangue.

------◆------

Uma verdade
que você não queria
saber

pode apodrecer & mofar
no fundo
do seu estômago,

pode azedar
cada sabor
que você já provou,

pode fazer feder
tão forte que você esquece
que um dia teve

algo bom.
Uma verdade que você não quer
pode colocar uma coleira em seu pescoço

& te conduzir para a escuridão,
para os lugares onde todos os seus
monstros vivem.

Há outra garota
neste mundo
que é minha família.

Meu pai
mentiu para mim
todos os dias da minha vida.

Não estou sozinha,
mas a única família
que tenho além de Tía

é desconhecida para mim.
Quero colocar meus dedos
na bochecha da minha irmã.

Quero colocar meu rosto
em seu pescoço & perguntar
se ela sofre como eu sofro.

Ela sabe de mim?
Será que meu pai contou a ela?
Ela era

sua confidente?
Enquanto durante todo esse tempo ele mentiu para mim?
Ou ela é a única

que entenderia
meus sentimentos agora?
Se eu a encontrar,

encontrarei uma parte viva
de mim mesma que não sabia
que faltava?

No altar de Tía há todo o tipo de item.
Um copo de *shot* meio cheio de rum, nove vasos de água.
Há um buquê de flores amarelas.

Um copinho de café recém-passado no chão. Ao redor do altar
há fotos; uma em preto & branco dos pais dela: seu pai,
um pescador, & minha avó,

uma lavadeira do oeste da ilha. O rosto sorridente
de minha mãe sorri do chão também. Várias
tias-avós & tios-avôs posam desajeitados em roupas formais.

& debaixo da toalha de mesa branca
há um monte de contas que escondi no altar.
A da minha escola é uma delas. Chega todo mês de junho,

& Papi paga em julho. É a cobrança do primeiro trimestre
para que eu possa assistir às aulas em setembro.
Os *pesitos* que as pessoas pagam a Tía não são suficientes.

Meu coração bate forte.
Pressiono a mão contra o peito para mantê-lo aqui dentro.
Como uma órfã supereducada

se torna obstetra
em um lugar onde a maioria das garotas
da idade dela engravidam

antes do ensino médio? Mas agora
me devem dinheiro.
Tía diz que pode ser meu.

Como uma garota – como *eu* –
termina o ensino médio,
e vai para a faculdade nos EUA?

Como eu vejo
cada um dos meus sonhos
tremularem como uma fita de bolhas

ploc ploc espocando no ar? Não vejo.

------◆-------

— Tía, sobre o visto & o dinheiro,
Papi disse que meus documentos estão em ordem. —
Tía está lavando feijão vermelho para um *moro*.

Ela assente, mas não diz nada.

— Eu ainda poderia ir para os Estados Unidos?
Tío Jorge poderia cuidar de mim, certo? —
As mãos de Tía param de remexer a tigela.

— Seu pai não ia te levar com os documentos dele, *mi'ja*,
ia usar os documentos da esposa dele.
Era com as rendas dos dois combinadas e com a cidadania dela

que sua papelada seria aceita.
Ela teria que te patrocinar
para que você tivesse o visto & pudesse morar lá.

Pelo que sei, Zoila não é uma mulher que perdoa. —
Então penso nessa esposa. Acho
que também não sou uma mulher que perdoa.

— Qual o nome da outra filha? — pergunto.
Tía pesca entre os feijões, retirando
os velhos & enrugados que não têm nutrientes.

Ela fica em silêncio em sua avaliação do que é bom e do que é ruim,
os que podem ficar, os que devem ser jogados fora.
Eu imagino que ela está escolhendo suas palavras com o mesmo cuidado.

— Yahaira. O nome de sua irmã é Yahaira.

-------◆-------

Vinte e dois dias depois

Ainda pensando   sobre essa irmã   sobre o dinheiro.
sobre os segredos de meu pai, vou à casa de Carline no dia seguinte.
O bebê dorme & os olhos de Carline estão cansados,

mas quando ela me abraça, eu quase me permito chorar
no calor de seus braços, embora
outra criança chorando seja a última coisa que ela precisa.

Nos sentamos no sofá & ela não solta
minha mão. — Você já parece uma mãe —
eu digo, & ela ri, mas falo sério.

— Meus seios doem & estou sempre com sede.
Camino, um grupo de garotas veio ver o bebê;
me disseram que te viram na praia com El Cero.

No me digas que es verdad. — Eu aperto a mão dela
antes de soltá-la. — Camino, eu seria a última pessoa
a te julgar. Mas El Cero é perigoso. —

Eu assinto. Claro que ele é.
Ela não está dizendo coisas que eu não sei.
Há um motivo pelo qual meu pai o pagou para ficar longe de mim.

Há um motivo pelo qual ele fica me perseguindo.
Mas como explico para Carline
algo sobre o qual ela não pode me ajudar?

É a mesma coisa com Tía; todos têm conselhos para dar,
mas tudo o que posso oferecer a ela é mais preocupações como resposta.
O choro do bebê me impede de dizer qualquer coisa.

— Só tome cuidado, Camino.
Agora venha & cumprimente seu sobrinho. —
Pergunto se ela deu a ele um nome.

— As mulheres mais velhas me disseram para não dar,
já que a respiração dele ainda está fraca.
Mas eu decidi chamá-lo de Luciano. —

Seguro o bebê da minha melhor amiga &
seguro a mão dela também.
Ele é prematuro, mas é amado,

& sei que Carline & eu estamos rezando,
mesmo que pareça improvável,
para que o amor seja suficiente.

Quando torno a ver El Cero na vizinhança, eu o trato como um cachorro vadio;
alimento-o com migalhas de atenção apaziguadora
que espero que o tornem mais animal de estimação do que predador,

mas que o lembrem de não uivar à minha porta.
Ele sempre volta. Caminhando ao meu lado enquanto tento ignorá-lo.
Hoje, Vira Lata me seguiu até a praia.

Ele se senta nas minhas roupas sob o sol quente
& fica de olho em El Cero. Ele não é
um bom cão de guarda, mas mesmo assim fico feliz de não estar sozinha.

Estou juntando minhas coisas & El Cero fala comigo.

— Alguém me perguntou seu endereço um dia desses.
Um velho amigo de seu pai. Pelo menos disse que era um amigo.
Mas não acho que era um homem bom. Eu disse a ele que não sabia. —

Escuto as palavras que El Cero não diz: posso dar seu endereço
a qualquer um, posso atrair atenção a você, que proteção,
que proteção, que proteção há num portão com tranca frágil

& na falta de um pai   ou homem   ou cão treinado de dentes
     afiados
para impedir qualquer um de forçar   a entrada.
El Cero inclina a cabeça quando não o respondo.

Ele assovia entredentes.
Da clareira, aquela pela qual andei desde que era criança,
um homem mais velho se aproxima. Ele tem uma cicatriz sobre um olho

& cheira como um esgoto a céu aberto em que alguém passou perfume.
— Esta é a garota pela qual você esteve perguntando.
Camino, este o amigo de seu pai. —

El Cero hesita por um momento & então agarra meu braço.
O homem me olha de cima abaixo, coçando o queixo.
— Tenho algumas perguntas, *mi amor*. Venha sentar no carro comigo. —

& de repente não estou triste ou com medo.
Sou ódio   embrulhado em pele de menina;
Eu me desembrulho, cheia de fúria. Estou gritando & não sei dizer o quê.

Eu me afasto de El Cero & empurro o homem com força;
meu movimento brusco assusta Vira Lara, que começa a latir,
chamando a atenção dos homens enquanto eu corro para longe.

Lágrimas de raiva, as primeiras que deixei cair, rolam pelo meu rosto. Sinto como se tivesse nadado perto demais de uma arraia; minha pele vibra. Elétrica ao toque.

Dou as costas para a praia. Corro até em casa.

Corro para casa e lembro que hoje é uma noite de cerimônia.

Tía me ensinou a dançar nas cerimônias.
Com as batidas do *santero*. Ela me ensinou
que uma pessoa não se move apenas com o corpo, mas com o espírito.

Com a cantoria do *santero* & com a cantoria dos outros.
Vejo Tía girar, as contas coloridas
ao redor de seu pescoço molhadas de suor.

Ah! Como sua cintura se dobra como um salgueiro
durante uma tempestade violenta.
Aprendi quão perto do chão meus joelhos podem chegar,

como minhas costas podiam se mover & meu peito arfar,
meu cabelo enrolado era um trono de pelúcia
de onde os espíritos poderiam reinar.

Todos sabiam que esta era uma casa abençoada pelos santos. & embora
muita gente não mexa com esse tipo de coisa aqui,
eles sempre pedem pelos remédios & *jarabes* de Tía;

por conselhos & orações; por ajuda para trazer seus bebês à luz
quando o médico custa caro demais, ou quando escutam
"Não podemos fazer mais nada."

& quando Tía dá uma cerimônia, a multidão lá fora é legião.
Ela tem um toque, eles dizem, ela tem os ouvidos dos Santos.
Esta noite o *santero* vem, & os praticantes também.

Em nosso pequeno quintal, os bateristas formam um círculo,
embora estejamos de luto, a canção surge cheia de luz.
Há algo santo no ar esta noite.

Eu expiro ar como se afastasse El Cero & seus amigos.

Rezo para estar livre da dor e giro no círculo.
Rezo para estar livre do medo e abro bem os braços.
Rezo para estar livre com movimentos de cabeça, com chacoalhar dos braceletes,

     Rezo para estar livre.

Camino ✈ Yahaira

Todos na casa
estão sentindo alguma coisa.

& já que somos só eu & Mami,
o que quero dizer é que estamos pisando em ovos.

Mami passa pela casa
escrevendo cheques para contas

que eu nem sabia que tínhamos.
Mami está gastando dinheiro

em uma promessa; está gastando dinheiro
que sequer sabemos se temos mesmo.

Ela ignora o trabalho, se esquece de compromissos.
Não reconheço essa mulher negligente

que tomou conta do corpo da minha mãe.
Mas também não quero que ela vá embora

de um lugar que sei ser seguro. Não digo nada.
Preparo um almoço que ela sequer toca,

& escalo a janela dos Johnson
quando preciso de barulho ao meu redor.

Se tensão é um monstro com asas,
jogou suas penas

no telhado da minha casa.

-------◆-------

Vinte e três dias depois

Agora que a escola acabou, caminho pelas ruas sem propósito.
Caminho na direção norte pela Riverside Drive.

De vez em quando, vou ao Lincoln Center
para sentar perto da fonte.

Me desvio de cocô de cachorro & das pessoas sentadas nos degraus;
ignoro os caminhões de sorvete & os assovios.

Coloco um pé depois do outro,
& toda noite vou parar na porta de Dre.

Dra. Johnson está com as mãos molhadas de lavar a louça;
ela me molha quando gesticula para que eu entre.

Ela me abraça.
Pressiona o queixo no topo da minha cabeça.

Fico assim por um instante, então me afasto.
É bom estar em um lar

que parece o mesmo de um mês atrás.
Comer um jantar que não tem lembranças amargas.

Deixo os ruídos de uma família completa embalarem meu sono.

------◆-------

Dra. Johnson pergunta
Yaya, querida, você está conseguindo dormir?

Eu respondo
Mais ou menos, dra. Johnson

Dra. Johnson pergunta
Quer falar sobre isso?

Eu respondo
Não, dra. Johnson

Dra. Johnson pergunta
Falou com alguém sobre seu luto?

Eu respondo
Obrigada pelo bolo de carne, dra. Johnson

Dra. Johnson pergunta
Talvez você & sua mami?

Eu respondo
Dra. Johnson, eu realmente não consigo fazer isso.

Dra. Johnson pergunta
Mas vocês não poderiam dar uma segunda chance àquele grupo de terapia?

Eu respondo
Acho que vou para casa agora.

Nunca tinha comido bolo de carne
até que os Johnson se tornaram meus vizinhos.

É tipo um *pastelón*
& tipo uma almondega que usou esteroides.

Pelo menos uma vez por semana,
eu costumava comer na casa dos Johnson,

embora Mami não gostasse.
Ela dizia que os vizinhos pensariam

que ela não estava me alimentando.
& me lembro de pensar que Mami era boba

até Doña Gonzales do andar de cima
me perguntar se eu era alérgica à comida de Mami.

Mas, deixando os intrometidos de lado, eu amava
que os Johnson não se incomodavam com a minha presença,

& Dre & eu assistíamos TV depois do jantar,
ou brincávamos com a maquiagem da mãe dela.

Mas embora eu ame os Johnson,
não sei se posso voltar lá.

Não posso olhar para a dra. Johnson com seus olhos suaves e tristes.
Apesar do alívio que senti antes na casa deles,

não posso ficar em um lugar que continua igual,
como se meu pai nunca tivesse existido.

------◆------

Vinte e cinco dias depois

Meu primo Wilson aparece lá em casa
na terça-feira à tarde

& se senta na mesa da cozinha,
abraça Mami com força, elogia seu cabelo.

Ela passa a mão pelas mechas
que posso jurar que não lava há um mês.

Wilson respira fundo. Diz que quer se casar
com a namorada, mas tem medo de fazer o pedido.

Mami & eu nos entreolhamos desconcertadas,
e o parabenizamos. Mas Wilson balança a cabeça.

— Um *campesino* como eu, o que tenho a oferecer? —
Wilson vive em Nova York desde que tinha dez anos.

Ele definitivamente não é mais um *campesino*.
Não conheço nenhum camponês que use calça de moletom de grife

& perfume Tom Ford; não conheço nenhum dominicano do interior
que beba apenas uísque caro.

Mas Wilson diz que o anel que quer comprar para a namorada
está fora do orçamento.

& quero saber, qual é o orçamento de um caixa de banco?
& será que essa garota se importava com o preço do anel quando começou o namoro?

Mas Mami simplesmente se levanta da mesa
& pega seu talão de cheques.

Me viro quando ela desliza o cheque na mesa,
mas antes vejo que ela escreveu quatro dígitos.

------◆-------

Cucarachas é como eu quero chamar
a família da minha mãe.

Nos últimos dias,
eles começaram a aparecer à nossa porta.

Os mesmos primos que me chamaram de feia
querem agradar & dizem quão bonita eu me tornei,

quão trágica é a perda de meu pai.
As tias & tios que disseram que minha mãe

devia ter se casado com um homem de pele mais clara
de repente querem contar para minha mãe

sobre uma nova lipoaspiração que querem fazer,
ou sobre uma missão da igreja na qual queriam ir;

ou um casamento dos sonhos que não podem pagar,
ou contas de hospital que não foram pagas.

Desde que souberam do dinheiro,
uma nova pessoa nos visita a cada dia,

& logo minha língua se transforma em uma vassoura:

— *Pa' fuera*, todos vocês. Nos deixem em paz.
Não somos a porra de um banco.

Mami diz que eu estou sendo rude por rejeitar a família.
        Eu digo a ela que a família dela é rude por pedir dinheiro.

Mami diz que é isso o que a família faz, se ajuda.
Eu digo a ela que nossa família deveria estar nos ajudando a planejar o funeral.

Mami não diz que são tempos difíceis.
        Eu digo a ela: Mami, acho que você não está pensando direito.

Mami desvia o olhar & se levanta para sair da cozinha.
        Eu pergunto o que é que ela não está dizendo.

Mami para na porta, de costas para mim.
        Eu me preparo para o impacto.

Mami diz: você sempre o amou tanto.
        Eu assinto em silêncio; pelo menos essa parte é verdade.

Mami diz: mesmo sendo tão inteligente, você ignorou os sinais.
    Não pergunto o que ela quis dizer, mas ela continua falando assim mesmo.

Mami diz: queria ter parado de amar Yano há muito tempo.
        Não preciso perguntar se é mentira.

Mami diz: você não sabe como ele me envergonhou.
        Quero cobrir minhas orelhas como se fosse criança...

Mami diz: & se o dinheiro da morte
    vai me livrar dessa vergonha perante minha família, que assim seja.

------◆-------

Camino ✈ Yahaira

Vinte e oito dias depois

Há dias, evito a praia.
Abro os braços e os alongo bem antes de sair da cama, & faço o mesmo com
    as pernas.
Balanço a cabeça e espalho meu cabelo ao meu redor.

Dentro de mim, algo encolheu, mas eu quero ser
merecedora de todo o espaço ao meu redor. Mesmo que eu saiba
que esse espaço talvez não seja nosso por muito tempo.

Penso na conta de luz do gerador,
nas contas de telefone, na conta da internet, na trimestralidade da escola.
Penso na Columbia. Penso na cidade de Nova York.

Tía me diz que o funeral será pago pela esposa de meu pai.
Minha barriga dói diante do pensamento: a esposa secreta de meu pai.
A vida secreta de meu pai. O que desejei & batalhei para que acontecesse:

areia correndo entre meus dedos.

------◆-------

Não pergunto a Tía, mas tenho certeza,
que a outra garota tem o mesmo sobrenome que eu.
Papi *foi* casado com a mãe dela, assim como com a minha.

Yahaira é um ótimo nome. & me pergunto se foi ele quem escolheu.
Posso ver meu pai carinhosamente pronunciando as sílabas.
Procuro o nome na internet.

Significa iluminar, ou brilhar. & me pergunto
se ela foi uma lâmpada no coração de meu pai. Me pergunto
se ela era tão brilhante que ele ficava voltando para ela

quando poderia ter ficado aqui comigo.
Me pergunto se ela soube a vida inteira sobre mim.
Me pergunto se a luz dela foi o motivo de ele ter estado lá quando ela nasceu.

Sou a criança pela qual meu pai a deixava no verão.
Mas ela é a criança pela qual meu pai me deixou a vida inteira.
Não quero odiar uma garota com um nome brilhante.

Mas não posso evitar a raiva enraizada no meu peito, abanando
suas folhas de palmeira por toda a parte & jogando sombra em tudo o que eu
    conheço.
Me pergunto que tipo de garota fica sabendo que é quase milionária

& não se pergunta sobre a garota do outro lado do oceano
para a qual está negando comida. Escola. Um sonho.
A não ser que ela não saiba sobre mim.

Me pergunto para qual faculdade ela quer ir.

Me pergunto se agora ela será capaz de pagar.
Elas me ignoraram minha vida toda, aquelas pessoas lá.

Mas uma coisa aprendi com os Santos,
quando os caminhos estão abertos, é necessário escolher um.
Não vou ficar parada enquanto o mundo faz as minhas escolhas.

Essa Yahaira
vai aprender
o que abrir seus próprios caminhos significa.

------◆-------

Redes sociais pareciam a forma mais rápida de pesquisar
duas horas atrás, mas com tantas garotas chamadas Yahaira Rios,
não parei de rolar a tela cheia de rostos

tentando encontrar uma garota que se pareça comigo.
Estou quase desistindo quando vejo um perfil
mas a foto é só uma caixa preta, & a data

da morte do meu pai.

Embora o perfil seja privado,
posso ver alguns *posts*, incluindo condolências.

"*Tío Yano foi um homem incrível. Ele está no céu agora, RIP*",
escreveu um garoto chamado Wilson. "*Sempre sentirei falta do Pops*",
diz uma garota chamada Andrea. & meu coração bate forte no peito,

& meus dedos tremem sobre o *tablet* quando aperto o botão de mensagem.
Escrevo uma frase rápida & aperto "enviar" antes que possa me arrepender.
Impossível ela não saber quem eu sou quando vir a mensagem.

------◆------

Depois que envio a mensagem,
recarrego a página
pelo menos cinquenta vezes, esperando por uma resposta.

Entro na cozinha para pegar alguns biscoitos.
Lavo a louça que está na pia.
Tiro o pó do altar. Coloco água fresca nos vasos.

Então me volto para o *tablet*.

Ainda sem resposta.
Não há diferença de horário de onde minha irmã está,
o que quer dizer que é final de tarde.

Talvez ela esteja ocupada
sendo rica & passeando com a mãe
& não pensando em mim.

Checo as mensagens mais uma vez.
Não diz que foi lida.
Não diz que foi aberta.

Eu quase desejo que pudesse cancelar o envio.
Mas não, ela merece ler a mensagem.
Eu mereço saber & ser conhecida.

Desligo o *tablet*.

Tía & eu vamos ao El Malécon, onde meus pais se reencontraram.
Ela leva uma jarra de melaço fresco & uma melancia;
eu carrego rum com mel. La Virgen de Regla ama doces.

Tía & eu rezamos sobre as oferendas; recitando os nomes
de nossos ancestrais. Beijamos a casca, o jarro, a garrafa de vidro
que carrega o rum.

Levamos esses itens às nossas testas,
então os tocamos com nossos corações. Eu respiro o ar salgado,
o movimento das ondas contra as pedras se junta a nós em nossas rezas.

Derramamos um pouco de *mamajuana* caseira na água,
& Tía não me impede quando tomo um golinho da garrafa.
Me sinto culpada. Me pergunto se a garota de Nova York

não sabe sobre mim, se uma mensagem aleatória on-line
pode ser uma coisa pesada a se carregar.
Pelo menos tive a honestidade & a coragem de Tía para me dizer a verdade,

não uma imagem pixelada aleatória. Derramo minha culpa grossa
na água também. A santa padroeira do oceano
é conhecida por conter muitas partes de si mesma:

ela nutre, mas também defende furiosamente.
& então me lembro de que para caminhar neste mundo
é necessário ser gentil, mas também feroz.

------◆-------

Depois de nossa visita ao El Malécon,
volto para casa & entro direto no quarto.
Pego meu *tablet* & ligo.

Prendo a respiração.
Procuro na rede social...
ainda nenhuma notificação.

Me contenho pouco antes
de atirar o *tablet* na parede.
Não nasci com paciência.

Pego um saco
& o encho com
um pequeno pacote de arroz

& um de feijão.
Em breve, não sei como,
Tía & eu comeremos,

mas, por enquanto,
ainda temos mais
do que as outras pessoas

que vivem aqui.
Vou até a casa de Carline.
Acenando para os vizinhos,

evitando as bocas de fumo,
deixando o sol
esquentar a pele das minhas costas.

Na casa dela,
Maman me convida a entrar,
seus olhos cansados,

& quando eu olho para Carline,
posso ver que ela esteve chorando.
Entrego o embrulho para Maman,

dando a ela um abraço extra forte,
esperando que lhe proporcione conforto.
Ela me abraça de volta com força,

& por um momento
acho que ela também
está me oferecendo conforto.

Quando ela sai
para *el fogón*,
para o fogo aberto onde cozinha,

eu me sento no sofá
& gentilmente pego Luciano
de Carline & o coloco no meu peito.

Consigo notar
que ela não quer soltá-lo,
mas também que ela precisa de um momento

para se recompor.
Não pergunto o que aconteceu.
Ela me conta.

— Perdi meu emprego.
Eles queriam que eu voltasse.
Mas como eu poderia deixá-lo tão cedo? Como? —

Eu assinto,
cantarolando para Luciano.
Os cílios dele tremem

contra sua bochechinha escura.
Li em algum lugar
Que, mesmo pequeninos assim,

bebês podem sonhar.

Já que não tenho os contatos de meu pai,
não posso fazer promessas vazias
sobre empregos ou posições que posso oferecer a Carline.

— Só queria poder ficar com o meu bebê.
Quem me dera poder fazer milagres como Tía. —
Tía já tem uma aprendiz. Eu.
& mesmo eu não posso fazer milagres como ela.

Não quero simplesmente ignorar
o que Carline acabou de me contar.
Também sei que ela precisa de distração.

Então conto sobre a minha irmã.
Digo que tentei contatá-la.
Carline fica surpresa nos momentos certos

& agarra minha mão.
Ela assente, concordando.
— Você fez o que tinha que fazer, Camino. —

Não sou o tipo de garota
que precisa de aprovação.
Mas um peso deixa as minhas costas.

Fiz o que precisava ser feito.

-------◆-------

Camino ✈ Yahaira

Na última vez em que vi meus pais se beijarem,
eu era bem pequena.

    Mas ainda assim é difícil descobrir
que minha mãe não era feliz.

Papi estava sempre sorrindo, sempre cheio
de palavras & alegria.

    Gostaria de saber qual falha
fez crescer esse mar entre eles.

Costumava pensar que era eu, que Papi
& eu tínhamos o xadrez.

Que talvez Mami tivesse ciúmes
por não ser algo que pudesse participar com a gente.

Mas mesmo quando eu comecei a pintar as unhas
& perguntar sobre o trabalho dela,

Mami ainda tinha uma certa atitude com Papi,
como se ele fosse o remédio que ela sabia que precisava
mesmo que não gostasse do gosto.

    Mas agora eu me pergunto
se sempre foi mais do que isso.

Talvez Mami soubesse sobre a outra mulher?
Mesmo sem ver a certidão.

Penso em como a palavra *infeliz* abriga
tantas perguntas sem respostas.

------◆------

Trinta e um dias depois

Tía Lidia vem jantar na segunda à noite.
O silêncio reina até que ela me pergunta sobre minha redação para a faculdade;

eu digo que estou repensando as faculdades para quais vou prestar.
Mami ergue o olhar de seu prato de *arroz con guandules,* surpresa.

— Não sou seu pai, mas isso não significa que eu não me importo.
Você não me contou que mudou sua lista, Yahaira.

Só temos uma à outra, sabe. & ele,
ele sempre teve mais pessoas do que precisava na vida. —

O tom dela é uma faca serrilhada.
                Me torno um banquete para sua raiva.

Mas antes que eu possa responder
ela deixa o garfo cair na mesa & se levanta,

arrastando suas *chancletas* até o quarto.
Tía Lidia coloca a mão sobre a minha. — Sua mãe está passando por

um momento difícil. O casamento deles não foi fácil, & ela tem muito
com que lidar. Yano foi um ótimo pai para *você,*

& sei que você o amava, mas ele nem sempre foi um ótimo marido. —
& eu não sei como um homem pode ser tantas coisas diferentes

para as pessoas próximas a ele. Mas eu assinto. Eu quase deixo escapar &
    pergunto se
todos sabem? Mas se eles não sabem, não serei eu

a revelar a sujeira no nome do meu pai.

-------◆-------

Uma vez, tive um torneio em Memphis.
Mami & Papi foram.

É uma lembrança feliz. Não só porque ganhei,
mas porque fizemos um passeio de barco

no Rio Mississippi. & o sol brilhava forte,
& o guia tinha uma voz maravilhosa

que me fazia querer entrar em suas palavras.
& ele dizia: — Navios afundaram nestas águas,

ouro foi perdido, as margens erodiram,
cidades foram construídas & destruídas às margens,

povos o cruzaram & nunca voltaram.
Mas o Mississippi sobe & desce; sobe & desce.

Tudo muda, mas a água sobe & desce. —
& por algum motivo, penso naquela lembrança

& naquele torneio enquanto Mami bufa pela casa.
Algumas coisas nunca terminam. Talvez a raiva seja como um rio,

talvez destrua tudo ao seu redor, talvez esconda
muitos esqueletos debaixo de sua superfície ondulante.

Trinta e cinco dias depois

Pela primeira vez em semanas, faço login nas redes sociais.
Tenho comentários de alguns amigos.

Tenho lembretes de aniversários & eventos,
& tenho uma nova solicitação de amizade

de uma garota que eu não conheço, de Sosúa, na República Dominicana.
Ela tem o meu sobrenome: Rios. Camino Rios.

Ela tem a pele um pouquinho mais clara
que meu veludo marrom,

seus olhos são grandes & penetrantes,
& seu sorriso parece familiar.

Há uma mensagem com a solicitação,
mas não consigo parar de olhar para a foto de perfil.

Porque essa tal de Camino não está sozinha na foto;
ela está usando um maiô vermelho brilhante, o braço de meu pai

em volta de seus ombros
enquanto eles sorriem à luz do sol.

Uma terrível sensação
quase me rouba o ar.

Um sentimento que eu não sei nomear está crescendo no meu peito.
É grande & grande & grande

& antes que se expanda na minha garganta
& me sufoque, eu grito por minha mãe.

Ela entra no quarto
bem mais rápido do que eu a vi

se movimentar nos últimos dias.
Eu aponto para a tela:

— Você já viu esta foto?
Não conheço essa garota. Por que ele está com ela? —

Respirando com dificuldade, ela bate a mão
contra o peito, como se tentasse apertar

um botão de pausa no coração.

— Quem é essa, Ma? Uma prima
que eu não conheço? Quem é essa? —

Mas posso ver que estou errada.
— Sei que ele era seu herói, Yahaira.

& me esforcei muito
para que ele continuasse sempre assim.

Mas essa garota   essa garota é a filha
da outra família de seu pai.

------◆-------

Meu pai não apenas tinha outra esposa.
Também tinha outra filha.

Preciso fechar o *notebook* porque
tudo o que minhas mãos trêmulas querem fazer

é derrubar tudo da mesa.
Quero ver a foto de meu pai

& essa garota quebrada no chão.
Como pode existir uma pessoa

que tem metade do meu DNA
& ninguém pensou em me contar?

Todo esse tempo em que guardei
o que pensei ser um segredo enorme,

nunca imaginei que poderia haver uma filha
fruto do casamento secreto de meu pai.

Ou talvez, o casamento não-tão-secreto de meu pai
já que parece que todos sabiam

mais do que eu   até Mami,
que eu estava tentando proteger.

Levou quase doze meses
para lidar com a verdade de quem meu pai era,

mas até isso foi uma mentira. Meu estômago revira,
& sinto que vou vomitar.

Me inclino para a frente, & Mami coloca
uma mão nas minhas costas. Mas eu me afasto dela.

Todas essas mentiras que engolimos
provavelmente estão apodrecendo dentro de nós.

-------◆-------

— Eu sabia sobre a esposa — digo a Mami.
— Não acredito que ninguém me contou.

Ela balança a cabeça. — Mas como?
Não queríamos colocar esse peso em você. —

Gesticulo para o computador.
— Disso eu não sabia.

Essa... *pessoa*... Eu não poderia imaginar. —
Estou respirando fundo, ofegando.

Mami não tenta me tocar de novo,
mas gentilmente sussurra para mim:

— *Respira, Yahaira, respira.*
Así, muito bom, respira fundo. —

Me sinto como um novelo
que deixaram cair no chão.

Estou rolando, me desenrolando,
dessa verdade.

Uma irmã. Uma irmã. Uma irmã.

Ma tenta explicar as coisas para mim,
mas sinto que fui colocada

numa parte da história
em que não conheço nenhum dos personagens.

— Ela era minha amiga. A outra esposa.
Na verdade, eu o conheci por causa dela. —

Ele se casou com a outra mulher
depois de ter se casado com minha mãe, então não era um casamento legal.

Mas a outra mulher não soube
até depois, bem depois.

Mami se casou com meu pai
contra a vontade do pai dela.

Meu avô materno tinha um alto cargo militar
& queria que minha mãe se casasse com alguém da área.

Minha mãe diz que quase morreu
quando soube da traição de Papi.

Virou as costas para tantas pessoas ao se casar com ele,
apenas para Papi traí-la alguns meses depois do casamento.

Ela não consegue contar a história
sem que sua voz quebre

o meu coração. & então ela me conta
o que eu não esperava.

— A esposa dele está morta. Você sabia?
Faz quase dez anos. Seu pai nunca superou.

Nem eu. Eu costumava querer que ela sumisse,
mas a forma como aconteceu foi inacreditável. —

Quero odiar essa mulher morta. Até mesmo
falar sobre ela provoca carrancas no rosto de minha mãe.

Essa mulher morta que fez meu pai visitar,
& ter uma filha, & entrar em um avião   que caiu no mar.

Demoro a entender as coisas.
Quero odiar a mulher morta & sua filha

que certamente me odeia por fazer meu pai
deixá-la.

Sem pensar, pergunto a Mami por quê.

Mami procura entre seus pensamentos,
como se tentasse entender o que é que estou perguntando.

& estou falando de tudo. Por que Papi
faria isso com ela? Conosco?

— Ele me disse uma vez que comigo
sentia que precisava atuar,

se tornar um personagem em uma peça,
precisava provar que era bom o suficiente.

Que ele havia conquistado o direito
de se casar com a única filha do general.

Mas que com ela, com a mulher que era minha amiga,
que era amiga de infância *dele*, podia tirar

a máscara.

Eu era um anseio, uma chama que ele queria beijar.
Mas para ela, ele teria acendido a ilha inteira.

Eu era a decisão segura. Ela fazia dele um sonhador.
& bem, pela criança, ele sacrificou tudo.

Ele amava vocês duas. Entenda isso.
Parte de mim até pensa que talvez ele tenha amado a mim

& à outra esposa também.
Yano era um homem complicado.

Depois que ela morreu, me recusei a ter a filha dele aqui.
Era demais. Não sei! Não consigo explicar.
Seu pai se recusou a excluí-la da vida dele;
ele não a abandonaria.

Sei agora
que não devia ter pedido isso a ele.

Então ele fez da vida um teatro
& se perdeu em todos os papéis que precisava representar.

------◆------

Mami parece tão cansada
depois de contar o que sabe

& eu me sinto tão cansada só
de ouvir. Eu não

quero mais falar com
Mami. Ela deve

perceber que eu preciso de uma pausa
dela, disso, porque

ela me dá um beijo de boa noite
& apenas suspira quando eu

não respondo.
Eu sei, a parte

de mim que ainda está pensando
racionalmente, sabe que isso não é culpa da minha

mãe. Mas estou muito
cansada de ouvir mentiras, & ela

é a única pessoa aqui
para eu direcionar minha raiva.

Fico sentada & encaro a mensagem que
Camino Rios me enviou.

Fico sentada & encaro a foto
do meu pai orgulhosamente abraçando

uma filha que não sou eu.
Eu poderia apagar a mensagem.
Eu *deveria* apagar a mensagem.
Por que dizer algo

para essa garota que eu não conheço?
Vou excluir a solicitação de amizade dela.

------◆------

Camino ✈ Yahaira

Quando chego em casa depois de pegar meu boletim,
há uma notificação piscando
no meu *tablet*.

Faz dias que enviei a mensagem.

Parei de acreditar que ela visualizaria.
Parei de checar incessantemente.
Mas agora, há uma resposta.

Tía pergunta se eu quero comer alguma coisa,

mas eu me sinto tão enjoada, que acho que não conseguiria.
Desbloqueio o *tablet* & respiro fundo.
Há choque na lista de perguntas que

a garota, Yahaira, me enviou.
& fica claro que ela não sabia
que eu existia.

Mensagem de Yahaira Rios:

Quantos anos você tem?
Papi morava com você quando ele visitava?

Em que lugar da República Dominicana você vive?
Você já veio aos Estados Unidos?

Com quem você mora aí?
Você tem outros irmãos?

Como você soube que Papi faleceu?
Acho que precisamos fazer uma chamada de vídeo.

-------◆-------

Segundo as minhas mais distantes lembranças,
sempre fomos Tìa & eu lutando pela vida.
Papi, alguém que estava presente apenas por voz & um rosto pixelado,

& por suas visitas no verão que sempre eram curtas demais.
Eu não era o tipo de criança que queria irmãos,
ou alguém para brincar com meu cabelo.

De vez em quando, eu sentia falta da mãe que mal conheci,
mas em geral, Tía era tudo o que eu precisava;
toda a família que pensei querer.

É estranho deixar de ser filha única
e começar a ver alguém usando o seu rosto.
Agora há essa outra pessoa & supostamente ela é minha irmã,

sendo que ontem, não passava de um nome
com um futuro que eu achei que queria;
agora há uma garota de carne & osso que é,

tirando Tía, o mais próximo do que eu posso chamar de família.

------◆------

Eu não respondo.
Embora eu saiba
que a mensagem aparecerá como lida.

Paro um momento para pensar
o que quero dizer.
Tenho medo de admitir o que fiz.

Que entrei em contato
& contei a ela o segredo de meu pai:

      Eu   Existo.

Devo ter feito um barulho.
Porque Tía para de ler e ergue a cabeça,
ou talvez, com seu jeito mágico, ela apenas saiba.

No quintal, nosso galo cacareja uma canção.

— Eu mandei mensagem para Yahaira. A filha de Papi. Ela respondeu. —
Tía põe o livro de lado, mas fica calada.
— Ela quer conversar. Quer fazer uma chamada de vídeo. —

& é uma surpresa para mim,
mas de repente estou chorando, o soluço
tirado do poço do meu peito

cheio & molhado, & Tía deveria estar esperando por isso.
Ela me abraça.
— *Ya, mi'ja, ya. Ya, mi'ja, ya.*

------◆------

O que eu respondo
para essa Yahaira:
Oi. Sim.

Vamos conversar.

Camino ✈ Yahaira

— Você está neste quadrado,
& quadrados não se sobrepõem. —

Papi me ensinou que cada peça
tem seu próprio lugar.

Papi me ensinou que cada peça
se move do seu próprio jeito.

Papi me ensinou que cada peça
tem seu próprio propósito.

Os quadrados não se sobrepõem.
& nem as peças.

A única vez em que duas peças
ficam no mesmo quadrado

é no segundo antes que uma
seja capturada & substituída.

& sei agora que Papi não podia
se mover entre duas famílias.

Quando ele estava aqui, era meu;
quando estava lá, era delas.

Ele deslizava de família a família,
quadrado a quadrado, & nunca olhava para trás.

É por isso que eu falava tão pouco com ele
quando estava lá.

É por isso que a garota na República Dominicana
precisou me mandar uma mensagem

para confirmar que sou filha de meu pai.
Tudo tem um propósito, Papi me ensinou.

Mas qual era o dele em   manter
segredos   tão   grandes?

------◆-------

Trinta e seis dias depois

Comemos em silêncio. Não nos sentamos
à mesa de jantar desde o que aconteceu com Papi.

Ao invés disso, levamos pratos para o sofá
& fingimos comer com eles no colo.

Faz semanas que não vejo Mami
usar maquiagem, & suas *chancletas*

são os únicos sapatos que ela usa hoje em dia.
Nos comerciais, brinco no meu celular.

Agora que a escola acabou, sequer tenho
dever de casa para me distrair do silêncio,

o que é a razão de eu ser surpreendida hoje
quando Mami põe sua novela no mudo para dizer:

— Precisamos fazer planos para o seu futuro;
somos a única família que temos agora.

Já que Mami não quis lutar legalmente pelo testamento de Papi,
depois que os restos mortais dele forem liberados por nós,

ele será levado de volta à República Dominicana para ser enterrado.
Mami se recusa a falar sobre o corpo.

Depois que ela vai dormir, eu começo a pesquisar
o que preciso para viajar.

É engraçado como o dinheiro não se importa com tempo.
Como acelera os minutos para que você consiga o que quer.

Felizmente, tenho um passaporte. Papi me fez tirar um anos atrás
quando ficou claro que eu poderia me classificar para torneios no exterior.

Para a passagem, uso o cartão de crédito de Mami.
Mami não apaga nenhuma senha de nosso computador,

& eu entro na conta bancária dela & me certifico de que temos o suficiente.

Ainda não sei se tenho coragem
de fazer o que quero fazer, & sei que não posso planejar essa viagem sozinha,

mas de algum jeito, de alguma forma, sei que preciso estar lá
no dia em que Papi for enterrado. Preciso conhecer essa irmã.

Não sei
o quanto

meu desejo
de conhecer Camino

é devido ao fato
de de repente

ter uma irmã,
& eu penso

que porra é essa?
Mas também, talvez,

uma parte de mim sinta
que ela é um pedaço

de Papi.
Que no corpo dela

haverá respostas
para todas as perguntas

que ele deixou para trás.
Como ela pôde

ter existido
todo esse tempo

sem mim?
E eu sem ela?

Nada tem sido lógico

desde a manhã que
Mami foi à escola,
mas no fundo

do meu coração sei que,
seja lá o que eu precise encontrar,

precisarei ir.

Trinta e sete dias depois

Mami não me perguntou de novo
sobre a mensagem.

& eu não dei a ela
nenhuma novidade.

Contei a Dre porque esconder isso
estava me matando.

Ela balança a cabeça & assovia
alto entredentes.

— Caramba, quem ia imaginar
que Poppa Rios era desses? —

Depois de um instante, ela diz:
— Talvez fosse melhor que você não soubesse? —

Como é possível perder
uma pessoa inteira,

apenas para ganhar de volta uma parte dela
em alguém completamente novo?

— Acho que preciso ir conhecê-la,
no funeral de Papi, digo. —

Sem hesitar, Dre assente.
— Sim. É a coisa certa a se fazer. —

& embora as palavras dela
devessem me confortar,

uma pontada de irritação
surge na minha boca. Como ela poderia

saber a coisa certa
a se fazer? Em uma situação assim,

como que alguém saberia
tão facilmente logo de cara,

quando parece que estamos
perdidos, andando em círculos?

Camino ✈ Yahaira

Acho que odeio essa irmã.
Ela me manda mensagem
dizendo que comprou uma passagem de avião.

& diz isso com tanta naturalidade.
Porque não foi uma burocracia sem fim,
porque ninguém pensou que ela

ficaria mais do que o permitido.
Tantos anos meu pai tentou
me levar para os Estados Unidos,

& aquela garota lá preenche um formulário curto,
consegue permissão, um documento azul...
merda, um maldito tapete vermelho de boas-vindas para o mundo.

Aperto meu *tablet* com tanta força
que fico surpresa por não quebrar a tela.
A mãe dela não a deixará vir, & ela está planejando

fazer isso às escondidas.
Isso requer força. Sei que se fosse eu,
Tía me mataria,

então faria os espíritos me trazerem de volta à vida,
para que pudesse me matar de novo.
Embora eu queria odiar essa garota,

também tenho que admirar o que ela fará para vir aqui.
& espero que ela admire
tudo o que eu farei para chegar lá também.

------◆------

Quarenta dias depois

Faz três semanas que Carline deu à luz.
Eu a visito algumas vezes. Hoje, levando
vitaminas & fraldas de pano equilibradas na cabeça,

          deixo meus braços balançarem livremente.
Quando eu era pequena, minha mãe me contou
que costumava carregar um montão de mangas

para a feira desse jeito.
Em manhãs como esta, eu finjo ser ela:
uma garota que pode carregar água na cabeça,

que pode andar de pés descalços sem se queimar.
Embora eu esteja usando um par de Jordans que agora acho
que provavelmente pertenceu à minha irmã primeiro;

não estava novo quando Papi
o trouxe para mim, & eu penso em todos os itens de segunda mão
que eu não sabia que eram da outra garota.

Quando chego na casa, Carline está sozinha.
Ela rói a unha enquanto o pequeno Luciano
dorme quietinho no berço. Em outro país,

este bebê ainda estaria na UTI,
mas nasceu em uma família que fala *creóle* e não pode arcar
nem com a conta nem com a burocracia dos hospitais.

Embora Carline não diga,
sei que ela ainda teme que o bebê morra.
Ele é tão, tão pequeno.

------◆------

Devagar, Carline pega o pacote de mim
& o desenrola como se contivesse pedras preciosas.
Eu pergunto se posso acordar o bebê para ver se ele está bem.

Tía me ensinou como ouvir o coração dos bebês & como retirar
o muco da garganta. Ela me ensinou como sentir
a febre no pescoço, como ver se há infecção onde o cordão umbilical foi cortado.

Carline assente, mas me dá um olhar profundo. & sei que seus olhos
estão me dizendo para tomar cuidado. Somos amigas, mas ela
é mãe agora, & ela está de olho em qualquer um que possa machucar seu filho.

Ela diz que Nelson está se matando de trabalhar,
tentando juntar dinheiro suficiente para que eles se mudem,
& também considerando sair da escola.

Eu quero oferecer banalidades & sussurros
que dizem que tudo ficará bem. Mas na verdade,
essa não é uma história incomum.

Várias pessoas não terminam a escola
nem seguem seus sonhos. O conto de fadas acontece só
nas novelas.

Ao invés de dizer palavras suaves e agradáveis, eu dobro toalhas limpas
& empilho louça suja. Eu varro o chão & tento ser útil.
É o melhor presente que posso oferecer a Carline.

------◆-------

Meu pai ter duas famílias
também não é uma história incomum.
Quando Yahaira me mandou mensagem,

ela pareceu se sentir traída de forma inexprimível.

Como se não pudesse acreditar que Papi fez isso.
Mas eu, eu sei que um homem pode ter várias faces & falar
por ambos os cantos da boca. Sei que um homem pode tomar decisões

baseadas em cara ou coroa;
um homem pode ser bom em dividir,
dando pedaço após pedaço após pedaço de si mesmo.

Não digo nada disso a Carline. Devolvo o bebê a ela.
Prometo voltar na semana que vem.
Ela me pergunta se eu tive resposta para a mensagem que enviei,

mas eu não sei como mexer minha boca
para as palavras que quero dizer. O que mais um peso
faria por Carline? & uma parte de mim se envergonha.

É então que sei que meu pai se tornou um segredo,
até mesmo da minha melhor amiga. Ele se tornou
um nome impronunciável.

------◆-------

Tudo o que eu quero
é Papi de volta.
Eu quero que a

risada estridente dele
balance as paredes.
Quero sua batida

forte do
outro lado da porta.
Eu quero seus

ditados bobos,
& seu berro zangado,
& seu inglês bagunçado

que ele salpicava
nas conversas
& seus olhos

que se enevoavam
quando ele rezava
ou dançava.

Há pedaços
dele por todo
este *barrio,*

por toda
a República Dominicana
& além

até a cidade de Nova York,
mas eu não consigo reunir
esses pedaços.

Não posso amarrá-los firme com barbante;
não posso soprar vida neles,
ou jogar luz sobre eles

ou juntar aqueles pedaços
para fazer algo, ou alguém,
se parecer com ele.

Os noticiários não dão mais
atualizações sobre a queda do avião;
há tragédias mais importantes

ou mais recentes para cobrir.
Por toda a vizinhança,
as pessoas deixam velas acesas nas janelas,

e toda vez que eu passo por uma loja
alguém tira o chapéu
& pergunta se eu preciso de alguma coisa.

O resto do mundo seguiu em frente
para notícias maiores & mais importantes;
muitos de nós aqui parecemos parados

no tempo, ainda esperando por maiores
informações, ainda esperando
que isto seja um pesadelo do qual vamos acordar.

------◆------

Quarenta e dois dias depois

Sinto tanta falta do mar que minha pele coça.
Me forço a ajudar Tía com seus xaropes para tosse
& fazer suas rondas até que

rio bem baixinho.

Tía balança a mão diante do meu rosto. — *Te fuiste lejo.* —
& ela está certa. Minha mente escapuliu para longe.
— Qual foi a última vez em que saiu para nadar?

Você é igual à sua mãe.
Ela sempre ficava mais feliz quando estava perto da água.
É por isso que ela amava visitar El Malecón. —

& eu sei que não posso evitar a água para sempre, especialmente agora.
No meu quarto, levo meu maiô até o nariz
& o cheiro do sabão em pó é um pequeno conforto.

O que são braços na água, senão asas?
Eu corto através do céu líquido.
Empurro a água para trás de mim.

Me movo com uma velocidade
que nunca tive antes.
Para dentro do oceano & de volta.

Até que minhas asas se tornem braços novamente
que doem
& meus pulmões precisem de grandes lufadas de ar.

Fico de costas & boio.
A lua em forma de colher curva
espia através das nuvens.

Quando abro os olhos
para a areia, lá está ele.
Onde sempre está.

— Você estava nadando
como se demônios estivessem
atrás de você com tochas. —

Eu dou de ombros
antes de calmamente caminhar
até os meus shorts.

Fingindo não ver
El Cero encarando a minha bunda
lá de onde ele está agachado.

— É assim que
você me quer, Camino?
Implorando aos seus pés? —

O corpo é um pedaço de carne engraçado.
Como infla & desinfla
para te manter viva,

mas como simples palavras podem te encher
ou te tirar o ar.
El Cero me dá mais arrepios

que a água gelada. & nunca é
do tipo que significa que você está emocionada.
Sempre é do tipo que significa

corra rápido para a direção oposta.

— Não quero nada de você. —
Mas ele balança a cabeça quase tristemente.
— Você precisa de mim. —

Me deixe em paz, Cero. Só me deixe em paz.

No caminho de casa, a chuva começa.
Tía está mexendo um *asopao* em uma panela enorme; o arroz & o ensopado de carne
enchem a casa

com o cheiro
de folhas de louro. Ela me olha & aponta a grande colher de metal
para o meu *tablet*. — Esta coisa ficou apitando, & você tem sorte

que eu não o coloquei lá fora na chuva.
Abaixe o volume dessa coisa. — Embora Papi
não fosse irmão dela,

ela o conhecia desde sempre. Eu ainda preciso perguntá-la
como ela está. As notificações no meu *tablet*
aparecem uma atrás da outra.

Esa Yahaira quer fazer uma chamada de vídeo. & só de pensar nisso
as palmas das minhas mãos suam.
O que verei no rosto dessa garota? Será que estou preparada para ver?

------◆------

Yahaira & eu combinamos
de fazer a chamada de vídeo depois do jantar.
Mas a hora passou,

& eu ainda fico enrolando na cozinha,
lavando louça & guardando as sobras
em potes reutilizados de margarina.

Tía vai para o quarto assistir novela
& tranca a porta. Levo meu *tablet* para a varanda
embora os ladrilhos ainda estejam molhados,

embora o Wi-Fi seja mais fraco lá.
É quase como se eu quisesse um motivo
para não falar com essa garota.

Perdi duas chamadas.
& cinco minutos depois, meu *tablet* faz um barulho.
A luz da varanda é fraca, mas quando eu atendo,

a luz atrás da garota
é brilhante brilhante brilhante.
& quando o rosto dela entra em foco, meu coração para.

Ela tem o rosto de Papi.
Seus cachos fechados. Seu nariz largo.
Seus lábios têm uma forma diferente, mas são cheios como os dele.

Minha irmã é bonita. De pele mais escura que a minha,
& claramente come melhor, embora
eu saiba que estranhos na rua

olhariam para nós
& logo diriam que somos parentes;
temos as mesmas características físicas.

Nenhuma de nós fala.
Na tela, fora de seu campo de visão,
traço o queixo dela com um dedo.

& pela primeira vez
eu não sinto a perda.
Eu não sinto um grande

buraco onde
a ausência do meu pai consumiu tudo.

Olho para o que está sendo oferecido.

Olho para quem recebi.

Camino ✈ Yahaira

Camino é como uma versão dourada de mim,
com longos cachos soltos, caindo molhados sobre as costas.

Ela me diz que gosta de nadar & que esteve na praia.
Ela tem a aparência de uma nadadora, de membros longos, magra.

Ela não sorri muito na ligação,
& eu aperto minhas mãos trêmulas juntas;

não quero que ela veja que estou nervosa.
Não ficamos de papo muito tempo.

Na verdade, nos primeiros segundos,
ficamos em completo silêncio.

Eu memorizo as características dela,
& monto um quebra-cabeça; vejo o meu próprio rosto

& o de Papi. Comparo o que nossas mães nos deram.
Mas suspeito que, se eu disser essas coisas em voz alta, Camino vai se afastar.

Ela não diz frases muito longas;
& seu rosto não mostra um entusiasmo em que eu possa me conectar.

Ela parece ser o tipo que não lida bem com emoções.
Então começo a fazer o que sei: estratégia.

Eu explico o que estive pensando, meus planos de ir
ao funeral. & então digo o que precisarei dela.

Camino fica em silêncio por um momento. Demora a concordar.
& a forma como a testa dela se franze

é igual ao que Papi costumava fazer quando tentava entender
se eu tinha feito uma armadilha para capturar o rei dele.

Por fim, ela assente.

------◆-------

Quarenta e três dias depois

Não lembro qual foi a última vez
que Mami & eu fomos às compras juntas.

Não temos o mesmo gosto;
todo Natal & aniversário, Mami compra para mim

macacões curtos fofos & camisas decotadas, & eu tenho que colocar
leggings em baixo   ou uma camisa de botões por cima.

Não que eu não goste de ficar bonita,
mas é que nossos estilos não necessariamente combinam.

& é fácil lembrar por quê. Mami
é uma obra-prima em forma de mulher. Seu cabelo longo

liso & brilhante descendo até o meio das costas,
jeans mais apertados que os meus, blusa apertada também.

Ela não parece uma mãe estilo dona de casa tradicional.
Ela parece uma mãe estilo *tres golpes*[4].

& me esqueci disso nessas últimas semanas em que ela manteve o cabelo nos bobes
& não usou nada além de moletons empoeirados & chinelos.

Mas é óbvio agora, quando os caras olham para ela conforme andamos
(*eu* ando, Mami rebola sua bunda enorme).

Ela tem aquele tipo de feminilidade
que nunca tive certeza de que seria capaz de ter.

Provavelmente achariam que Camino é filha dela, e não eu.
Agarro a mão de Mami & me aproximo.

É infantil, eu sei. Mas é um lembrete a todos nós
de que ela é minha. & apenas minha.

-------◆-------

---

4 *Tres golpes* é um tipo de conga, instrumento musical em formato de barril, de origem cubana. (N.T.)

— Você já desejou que eu me parecesse mais com você?
Que as pessoas olhassem para você &

não precisassem tentar adivinhar qual é a nossa relação? —
Mami parece surpresa com a pergunta.

— *Y esa ridícule?* Como assim parecer mais comigo?
Você é a minha cara. Sua boca em formato coração,

seu dedão gordo, suas orelhas como conchas do mar;
seus olhos tão castanhos quanto os meus.

Você tem a cor de seu pai, o mesmo cabelo crespo,
& a mesma teimosia, mas o resto de você é todo meu.

& todos que não conseguem ver isso, que *se vayan al carajo.* —

Mami está irritada. Sei pelo jeito que ela trava a mandíbula.
Do mesmo jeito que eu travo a mandíbula quando fico irritada.

— Todo mundo sempre disse que eu me pareço com Papi. —

Por algum motivo, eu quero continuar a provocá-la.
Quero que ela defenda todas as partes dela que vivem em mim.

— *Ay, Mamita.* — O rosto de Mami se suaviza.
Estamos de pé na calçada,

& o barulho & a confusão do Grand Concourse,
as pessoas entrando & saindo das lojas, desaparece;

o calor gruda em nossos corpos, uma segunda pele.
Eu respiro fundo o ar quente.

— As pessoas amavam dizer que você era filha de seu pai.

& você, você amava ouvir. Tenho certeza de que você sempre me achou boba ou superficial, ou *qué sé yo*, muito menininha?

Você, você sempre foi a melhor das filhas.
& tão bonita. Tão boa com maquiagem & roupas estilosas.

O, ¡pero claro! Eu queria que você alisasse o cabelo com mais frequência. Mas também entendo que o seu estilo não precisa ser o meu.

Minhas impressões digitais estão por todo o seu corpo.
& eu não preciso que o mundo as veja

para saber que estão aí.

------◆------

Embora Mami esteja falando sério
sobre não ir ao funeral na República Dominicana,

é ela quem visita o necrotério
quando temos permissão para levar o que sobrou do corpo de Papi;

é ela quem decide o que fazer com os restos mortais.

Quem leva o terno favorito de Papi, azul-marinho, para o agente funerário.
É ela quem volta para casa pálida.

Quem não descreve
o estado do que restou, apenas me mantém abraçada junto a ela.

Ela é quem diz: — Graças a Deus
por aquele maldito dente de ouro. —

É ela que liga para a República Dominicana
& diz: — Precisa ser um caixão fechado;

não importa o que você faça, não deixe a garota ver o que sobrou. —
E sei que ela está falando de Camino, de poupá-la.

Não entendo o ódio & o amor de meus pais.
O que deve custar para Mami perdê-lo por completo.

Mas sei que ela deve ter amor por ele, certo?
Ela é tão, tão cuidadosa quando passa & dobra

o lenço roxo que ficará dentro do túmulo.

Papi terá dois funerais.
Papi terá duas cerimônias.

Papi terá sua falta sentida em dois países.
Papi receberá adeus aqui & lá.

Papi tinha duas vidas.
Papi tem duas filhas.

Papi era um homem dividido em dois,
jogando um jogo contra si mesmo.

Mas o problema com isso
é que para ganhar é necessário perder.

Tudo o que eu quero
é meu pai de volta.

Quero seus passos

pesados caminhando
do lado de fora da minha porta.

Quero seus
ditados bobos

& seu berro zangado,
& seu espanhol corrido

& seus olhos
que se enevoavam

quando sua música
favorita tocava.

Há pedaços
dele por toda parte

da casa,
por toda a cidade de Nova York,

& ainda além, pela ilha,
mas eu não posso

juntá-los
para fazer algo,

alguém
se parecer com ele.

Camino ✈ Yahaira

Quarenta e cinco dias depois

O ano escolar terminou há semanas. Eu escondi três cobranças
que a escola enviou debaixo de uma vela que Tía nunca mexe.
Tenho esperança de que os Santos façam algo.

Não sei como vou pagar. Mas minha irmã & sua mãe
são ricas & estão em dívida comigo.
Só espero que Tía não encontre as cobranças antes disso.

Em uma semana & pouco, 29 de julho, eu faço dezessete anos.
No mesmo dia em que os restos mortais de meu pai serão enterrados.
Não sei se minha irmã sabe

que será meu aniversário. & não conto a ela.
Na praia, eu nado até as boias do resort, e volto.
& ignoro El Cero me observando da areia.

Ele começou a pegar o celular
& a me gravar na praia.
Não quero pensar no que ele faz com esses vídeos.

Ajudo Tía com as rondas pela vizinhança.
Visitamos a senhora com câncer, & eu seco a testa dela.
Fico com Carline & o bebê.

Conto os dias para o fim de julho.

------◆-------

Quarenta e seis dias depois

Quatro dias antes da minha irmã chegar,
eu enfim tomo coragem. Ligo para ela depois do jantar.
Ela atende sorrindo. Sei que não vai durar.

— Não vou te dar nenhum detalhe do funeral
a não ser que você me envie dinheiro. Você virá aqui para nada.
Minha Tía não vai te ajudar a entrar. —

Eu não quero ser brusca. Me machuca olhar para
seus olhos grandes, suaves & pedir tanto assim.
Mas a suavidade dela não tem nada a ver com o desespero

que eu sinto crescer dentro de mim. Depois do enterro de Papi,
terei que deixar este lugar. Não há nada
para mim nesta cidade, onde vejo a saída ficar cada vez menor.

Minhas palavras, pesadas, se tornam uma avalanche.
Em um segundo, o rosto de Yahaira fica inexpressivo.
Ela se reclina na cadeira. — É claro. O dinheiro também é seu.

Você não precisava me ameaçar para pedir.
Ainda não recebemos o adiantamento todo,
mas quanto você quer que eu transfira? —

Não sei se é o tom tranquilo dela ou minha culpa que me faz hesitar.

Ela pode dizer o que quiser, mas ninguém,
ninguém dá algo de graça.
A vida é uma troca; é de se esperar que uma jogadora de xadrez soubesse disso.

— Dez mil. Você pode ficar com o resto. —

Engulo a bile que sobe até a minha boca.
Eu vou me virar sozinha. Dou a Yahaira
os dados para a transferência. Ela promete transferir esta semana.

Desligo o telefone sem me despedir.
Parece mais fácil não me apegar a essa irmã,
não dar a ela nenhuma razão para se apegar a mim.

-------◆-------

Yahaira me envia o dinheiro & seus planos de viagem.
Ela comprou a passagem com um cartão de crédito
que a mãe dela não usa.

Ela pergunta se eu posso buscá-la no aeroporto.
& eu quero perguntar que carro ela acha que eu tenho.
Ou talvez ela pense que, como uma mula,

eu vou deixá-la montar nas minhas costas?
Eu posso ser uma *pobrecita* agora,
mas não sou empregada de ninguém.

Talvez ela ache que comprou a minha submissão?
Talvez seja isso o que ficou parecendo.
Mas eu não serei tratada como uma serviçal.

Todo aquele dinheiro & ela não pode chamar um táxi?

Mas, para ser sincera, os motoristas de táxi são ladrões.
& se acontecesse alguma coisa com ela,
uma *gringuita* sozinha? Tía me mataria.

O fantasma de meu pai provavelmente me assombraria.
A culpa com certeza. Eu já me sinto terrível
pelo dinheiro que foi transferido pela Western Union.

Peguei o envelope gordo ontem & o preguei
à foto de Papi no altar de Tía na sala de estar.
Então digo a ela que estarei no aeroporto.

Não digo a ela que não tenho certeza de como chegarei lá.

É isso que é irmandade?
Uma negociação das coisas que temos que tornar possíveis
em pedidos impossíveis?

------◆------

Camino ✈ **Yahaira**

Mami não me deixa ver os restos mortais.

O representante da companhia aérea nos envia
um catálogo com todas os pedaços de pano,

& ossos & cabelo & as coisas da mala
que provavelmente pertenciam ao meu pai.

Eu encaro as fotos. Todos os pedaços & peças
de Papi que serão enterrados.

& penso sobre tudo o que meu pai
deixou para trás e que não estará naquela caixa:

as perguntas imensas
que estão estourando as costuras das nossas vidas.

A enorme ausência que se estica
a cada momento.

A ruína – a quebra que aconteceu
muito antes da queda do avião.

Eu olho para os pedaços de um corpo
que eles empilharam num caixão & chamaram de homem.

Sei que os restos estão espalhados ao nosso redor.
Na rotina do que sobrou.

Quarenta e nove dias depois

Antes que Papi seja levado à República Dominicana,
Mami decide que devemos fazer um velório.

A casa funerária que enviará o corpo
se prepara para o evento. Caixão fechado.

Embora Tío Jorge
pareça chateado com Mami,

pela forma como ela falou com ele aquele dia,
ele nos busca para o velório.

Quando ele abre a porta do carro para mim,
me agarra num abraço muito, muito apertado.

Acho difícil olhar para ele,
sentir seu perfume. Às vezes,

eu me deixo esquecer que meu pai está morto.
Posso olhar para o Tío Jorge & vê-lo ali,

diante de mim, parecendo tanto o meu pai.

Há lágrimas nos olhos dele.
& em sua voz embargada.

Ele move uma mão na frente do rosto,
como se para se livrar delas.

Ele me diz: — *Eu te amo, Yaya. Bella negra.* —
Eu enterro meu rosto no pescoço dele, & sussurro para mim mesma:

Bella negra. Bella negra.
Papi está aqui. Ele está conosco.

Papi foi embalsamado pelo sal marinho,
como um inseto antigo preso no mel,

imóvel, de uma era diferente.
Papi estava sempre em movimento,

seu sorriso explodindo à frente,
explodindo como o meu coração faz

quando me ajoelho perto de seu caixão
& toda emoção intensa dentro de mim

faz meu peito tremer.

Mas eu pisco para espantar lágrimas

& conserto minha postura.

— Nunca os deixe te ver suar.
& mesmo que você tenha que desistir, sorria.

Enquanto Mami & eu estamos sentadas na primeira fila,
as pessoas vêm prestar condolências.

Uma frase engraçada, *prestar condolências.*
Como se o sofrimento fosse uma dívida que pudesse ser quitada

com abraços & acenos de cabeça.
Não preciso dessas condolências:

meus primos, desconfortáveis, trocam o peso
de uma perna para a outra.

Dre, com a dra. Johnson ao lado dela, se senta atrás de mim,
suas mãos pousadas no colo prontas para vir ao meu resgate.

Wilson está com a noiva nos fundos,
suas mãos grandes cheias de cravos brancos.

Não posso guardar nenhuma das condolências nos bolsos do meu vestido.

Não posso amarrar essas condolências em um buquê
e colocar na lápide de meu pai.

As condolências deles são rápidas,
& eu estou tentando me mover na lama endurecida da perda.

------◆-------

Wilson está usando uma camisa preta de botões
& calças, & se fosse outro dia,

eu brincaria dizendo que parece
que ele está indo a uma entrevista de emprego.

Mas, hoje, meu pai está morto.
Seu corpo, que possuía tanto barulho, está numa caixa.

& então não quero zoar Wilson,
não tento tocar sua mão;

eu dou um pequeno sorriso
& me sento com a minha mãe.

Papi sempre gostou de Wilson, & eu me pergunto:
será que ele ficaria chateado por Wilson ter pedido dinheiro?

Não tenho certeza. Ele era um homem generoso.

Me pergunto se talvez eu devesse estar menos irritada
sobre algo que não irritaria

nenhum de meus pais. Mas não sei.
Eu sempre pude prever os próximos passos de Papi.

Tudo o que ele sentia brilhava em sua expressão
como os anúncios digitais no ponto de ônibus.

Pelo resto da minha vida, me sentarei & pensarei
no que meu pai diria a cada momento.

& vou inventá-lo:
suas palavras, seus conselhos, nossas memórias.

------◆-------

Amanhã de manhã, o agente funerário

vai enviar o corpo para a República Dominicana; enviar o corpo,
como se fosse uma encomenda feita na Amazon de papel higiênico ou livros.

Pessoas vêm & vão.
Mas Dre fica até o final,

coloca cravos murchos
nas minhas mãos, & eu sei que ela os comprou

do lado de fora da estação de trem & os carregou
no horário de pico & na troca de ônibus & numa caminhada

só para entregá-los a mim. — Eu só queria que você
tivesse algo... —

& o nó na minha garganta cresce até dobrar de tamanho,
minha língua inchada & parada no caixão da minha boca.

Eu assinto & pego os cravos.
Ela aperta o meu ombro de leve.

Eles são lindos. Eu os amo. Eu amo você.
Você é a única coisa que não machuca.

Eu tento dizer com os meus olhos, já que não consigo
fazer minha boca pronunciar uma única palavra.

------◆-------

Não quero contar a Dre
que irei com o corpo de meu pai,

mas já que não consigo guardar segredo dela,
acabo contando tudo. & então peço a ela que não me pergunte nada.

— Eu sabia que você iria,
mas mentir para a sua mãe é demais. —

Dre balança a cabeça, frustrada.
— Espero que você saiba o que está fazendo, Yaya.

Não somos como as garotas brancas nos filmes
que fogem & vivem aventuras. Isso parece inconsequente. —

Eu quero concordar com ela, quero mesmo;
até finjo. Mas tudo o que consigo pensar

é que parece insano para mim
que nossa família deixaria Papi voar sozinho de novo.

Como se morrer sozinho não fosse o suficiente.
Não. Não conto nada para Dre.

Não digo nada enquanto ela me ajuda a limpar & recolher
os cartões de condolências,

enquanto Mami dá instruções sobre as flores
que nunca enfeitarão um túmulo.

Em certo momento, Dre segura a minha mão
gentilmente entre as dela, & descongela

uma parte de mim que eu sequer sabia
que estava gelada.

Uma casa funerária não é um local romântico,
ou um local acolhedor, ou um lugar para ficar abraçado.

Especialmente quando foi a morte do seu próprio pai
que te levou lá para lamentar.

Mas me aconchegar em Dre é tudo o que quero fazer.

— Posso dormir na sua casa mais tarde?
— pergunto a ela, minha mão ainda nas dela.

Ela aperta minha mão. — Eu adoraria,
mas talvez seja melhor perguntar para a sua mãe.

Ela parece chateada,
& você sabe como ela se sente com esse tipo de coisa. —

Mami odeia o conceito de dormir fora,
diz que nossa casa tem camas o suficiente

& que tipo de lençóis as outras pessoas têm
para me fazerem querer dormir longe dos meus?

------◆------

Eu sei como é a feiura
quando sai bem formada da boca.

Como as palavras podem criar um espaço entre duas pessoas;
como é quase impossível destruir esse espaço.

Depois da cerimônia, estamos em um táxi voltando para Morningside,
& eu estou torcendo para que Mami não diga nada,

mas é claro   que ela   pronuncia palavras:
— Acho que deveríamos viajar. No seu aniversário.

Acho que precisamos sair daqui. Para algum lugar bem, bem longe.
Ele iria querer que você comemorasse. —

& eu não digo que meu pai também gostaria que
eu fosse ao funeral dele. Ela sabe disso.

Eu entendo que ela esteja com raiva dele. Também estou.
Mas meu pai era um homem de comemorações,

de forma nenhuma ele ia querer ser enterrado
sem sua filha lá para garantir que colocassem

seu caixão na sepultura da maneira correta; que colocassem o buquê de flores
em sua lápide com respeito.

& sei que meus sentimentos estão visíveis no meu rosto.
Essa foi a pior mudança de assunto que já vi.

Quem é que pensa em aniversário quando está pensando
sobre um funeral? O que eu poderia querer? O que eu poderia querer?

— É idiotice pensar nisso.
Só quero ficar sozinha. —

& lá está a feiura novamente. Como uma cerca erguida
entre nós; ainda podemos nos ver,

mas a barreira é alta demais para escalar.

------◆-------

Digo a Mami
que vou dormir

na casa da Dre.

Não peço
permissão,

& embora ela esteja rangendo
os dentes,

nenhuma palavra
é dita para mim.

Eu entro pela
janela de Dre,

carregando a mochila
que preparei.

Dre me pergunta se eu
contei à minha mãe

sobre meus planos
de amanhã.

Ela deve sentir
como eu me retraio

em seus braços,
porque ela acende

o abajur
para olhar para mim.

— Ela merece
a verdade, Yaya.

Não quero mentir.
& você sabe

que ela vai me perguntar. —

Lágrimas se formam nos meus olhos.

Todos passam
anos, a minha vida

inteira, mentindo para mim
sobre a minha família,

mas eu sou quem
supostamente

devo a verdade às pessoas?

— Dre, eu não quero
que você minta; só me deixe
ganhar tempo.
Eu sei que parece

perigoso, egoísta, mas
eu acho que é

a coisa certa
a se fazer. —

Ela não responde.
Mas desliga a luz

& me abraça apertado
a noite toda.

Eu a beijo gentilmente
pela manhã

quando é hora
de partir.

Cinquenta dias depois

No aeroporto, estou na fila de check-in,
tentando não chamar atenção.

Pesquisei & como tenho
dezesseis, quase dezessete anos, voo como uma adulta,

não como uma menor de idade desacompanhada. O único contratempo
será se me pedirem uma autorização assinada pela minha mãe.

Mas ouvi dizer que pode ser que peçam ou não; depende
da pessoa que me atender.

Tentei pegar meu bilhete na máquina, mas ficou dando erro.
Não estou nervosa. Não estou nervosa.

Quando o homem na mesa de atendimento me chama,
entrego meu passaporte em silêncio.

Ele olha para a foto, e então para mim. — Você é menor de idade.
Há um acompanhante com você? —

Eu balanço a cabeça, negando. Ele balança a cabeça tristemente. — Se você tivesse
dezessete anos, eu podia te deixar passar. Mas como não tem... —

O pânico toma conta de mim. Não posso deixar de ir. Não posso deixar de ir.
Preciso entrar nesse voo.

Olho bem nos olhos do homem.
Ele é jovem & parece novo no emprego.

Penso na melhor maneira de agir & decido ser assertiva.
— Vou enterrar meu pai. Minha mãe não sabia

que eu precisaria de um acompanhante. — Me esforço para parecer confiante.

Empurro as próximas palavras para fora. Não há nenhuma mentira.

— Meu pai era um passageiro no voo 1112.
Meu pai morreu no voo 1112. Estão enviando o corpo dele,

o que sobrou, para fora do país hoje. —

É a primeira vez que digo essas palavras. Embora repórteres
tenham ligado para a minha casa & estivesse no noticiário da CNN

há algumas semanas, esta é a primeira vez que eu digo as palavras.
Meu pai morreu no voo 1112.

Pelo resto da minha vida, serei conhecida por esse fato.
Seco os olhos com as costas da mão.

O homem detrás da mesa pisca rapidamente.
Ele olha outra vez para o meu passaporte.

— Parece que logo você completará dezessete anos. & realmente,
a restrição de idade é mais uma recomendação do que uma exigência. —

Ele me entrega meu passaporte.
Imprime o bilhete & circula o número do portão.

------◆-------

Camino ✈ Yahaira

Eu começo a preparar o *sancocho*
enquanto Tía entrega um *poultice*
para uma *viejita* com artrite.

Eu douro a carne & o frango,
descasco & corto a *yucca*
& a banana da terra.

Este é o ensopado
que preparamos para dar boas-vindas,
& embora eu sequer

saiba se quero essa garota aqui,
parece a coisa certa a se fazer.
Não penso sobre o dinheiro no altar.

Quando Tía chega em casa,
estou fatiando o *cilantro*. Alho
amassado está no pilão.

Geralmente, quando eu cozinho
são coisas rápidas:
pastelitos, bacalao com arroz. *Tostones.*

Mas *sancocho* é um prato que leva o dia inteiro para ficar pronto.
São tantos passos; é fazer um pacto com o tempo
que diz que você será paciente & o resultado será delicioso.

É dourar & ferver. Misturar & separar.
É carne & vegetais de raiz. Ervas & sal.
É caloroso & feito da terra & do coração.

Tía deixa a bolsa de lado, liga o rádio da cozinha.
A voz de Xiomara Fortuna soa, & logo
estamos cantando junto.

Se Tía suspeita de algo, ela não deixa transparecer.
Ela corta *avocado* & pega um pote de arroz.
Ela remove a polpa da *chinola* para fazer suco.

Tía é uma mulher séria de poucos amigos;
ela diz que só compartilha seus segredos com os Santos,
seu silêncio cria uma pista de dança para a magia.

Yahaira está no mesmo voo que o corpo de Papi.
Sei exatamente onde ela está no ar
sem ter que olhar no relógio.

Eu memorizei a rota
durante os meus dezesseis anos. Eu não confiro
meu *tablet*. Não me preocupo com o avião.

É claro que me preocupo com o avião.
Estou doente de preocupação com uma garota que eu não conheço.
Minhas mãos tremem enquanto limpo a bancada da cozinha.

Eu devia contar para Tía. Mas sei que se eu contar, ela ligará
para a mãe de Yahaira. & sei que se ela fizer isso,
a mãe dela pode ficar sabendo sobre o dinheiro,

poderá ficar sabendo sobre o que eu tenho planejado.

Acendo uma vela no altar de Tía & rezo por uma passagem segura
& que os caminhos estejam livres. & então, faltando uma hora
de voo, eu faço a ligação que estive temendo.

Mas, de vez em quando, uma garota precisa de um favor.

Eu passo todo o trajeto no carro de Don Mateo
me repreendendo por ter concordado
com o plano maluco de Yahaira.

Minhas mãos estão suando. & não é porque
o ar-condicionado do carro de Don Mateo não funciona.
Como sempre, ele estava impaciente ao me deixar entrar no carro,

mas percebo que até ele está nervoso com o quão estranhamente
familiar isso tudo parece. Da última vez que fizemos isso,
o mundo pareceu acabar.

Eu disse a Don Mateo que preciso receber o corpo de meu pai,
não que estou indo buscar a outra filha dele.
Sei que ele teria contado a Tía imediatamente.

Ficamos em silêncio por todo o trajeto. Quanto mais nos aproximamos
do aeroporto, mais eu sinto que vou vomitar.
Tento me distrair com os planos que fiz para Yahaira.

O que farei com uma irmã?
Ela terá que dormir na minha cama.
Ela provavelmente fala aquele espanhol de gringa

& eu terei que traduzir para ela.
Ela provavelmente é uma *comparona* que espera que
eu cozinhe & limpe.

Bem, eu vou arremessá-la de volta aos Estados Unidos
como um morcego para fora da *cueva* se ela não
se comportar. Eu não devia ter oferecido ajuda.

É errado, eu sei; minha irmã não é uma *comparona*.
Ela parece gentil & atenciosa. A dor nos olhos dela
é gêmea da dor nos meus.

Tenho muito medo de gostar dela.
De querer que ela seja minha família.
Meu coração não vai aguentar mais nenhum parente.

Percebo tarde demais que mordi e arranquei metade do esmalte do meu dedão.
Agora, minha manicure parece *un relajo*.
Tento mordiscar o resto do esmalte

para que minhas unhas fiquem iguais. Mas foi uma ideia estúpida;
agora eu tenho cinco unhas fodidas ao invés de uma só.
Don Mateo para o carro no terminal,

mas eu não consigo sair. Pego a maçaneta, mas
é como se minha mão estivesse presa lá. Posso ouvir minha respiração
tremer para dentro & para fora de meu corpo, soando alta em meus ouvidos.

— Posso te levar de volta para casa, Camino.
Não tem problema eu me atrasar um pouco para o trabalho.
Tenho certeza de que vão entender. —

Eu balanço a cabeça e dou de ombros.
Já encarei coisas piores do que um aeroporto.
Já sobrevivi a coisas piores do que aquilo que está atrás das portas.

— Obrigada, Don Mateo. Ficarei bem. —
Ele ergue sua sobrancelha grossa & me dá uns tapinhas
suaves no braço.

Quando estou na entrada do aeroporto,
fico completamente imóvel. Meus pés parecem presos.
A última vez em que estive aqui. A última vez em que estive aqui

não faz muito tempo. Foi em um dia igualzinho a hoje.
Foi o dia em que tudo mudou.
Não tenho certeza se vou conseguir entrar.

------◆-------

Embora eu me prepare, não estou pronta
para a onda de luto
que bate na minha cara

quando passo pelas portas do aeroporto.
Eu imediatamente encontro o telão de informações.
O avião deve pousar em vinte minutos.

A informação está lá,
com o número do portão & tudo o mais.
Há uma multidão de pessoas animadas, esperando pela família,

mas nenhuma delas está chorando. Não tem ninguém deixando cair lágrimas,
nenhum grito magoado. A expectativa & o amor & a ansiedade
é como um ser vivo no terminal.

Sinto que estou tentando reconciliar dois
cenários bem diferentes. Meu coração quer juntá-los,
mas meu cérebro sabe que meu pai não vai passar por essas portas;

meu cérebro sequer sabe se minha irmã aparecerá.
E se algo acontecer? Decolagem & pouso
são as partes mais perigosas de um voo.

Ugh! Quero me bater por pensar nisso...
Observo o telão, contando os minutos
até o pouso. Parece que leva um dia inteiro.

& então o telão atualiza. Nenhuma informação nova.
Minhas mãos começam a tremer, minha respiração instável.
Algo deu errado? Aconteceu alguma coisa?

Agarro um homem usando o uniforme do aeroporto, mas não consigo
falar nada. Simplesmente aponto para o telão. Sua irritação
muda, & com gentileza dá tapinhas em minha mão; ele deve entender

o que eu não disse. — Pousou em segurança. Acho que eles
estão apenas tentando atualizar as informações. —
O ar que eu não percebi ter prendido sai por entre meus dentes.

De repente, as pessoas começam a sair da imigração.

Tudo parece tão normal, tão diferente de seis semanas atrás.
Todos seguiram em frente. Ou nada nunca mudou
para início de conversa.

Pessoas de terno segurando maletas.
Mulheres altas e curvilíneas de salto alto
& jeans brilhantes, *doñas* cheias de dinheiro

com bengalas de mogno & terninhos.

& finalmente uma linda garota, com cachos fechados:
uma *morenita* com uma mochila rosa na mão,
parecendo pensativa & determinada.

É quase como se ela pensasse
que ninguém estaria aqui para recebê-la.
Os olhos dela percorrem as pessoas,

e passam direto por mim. Um segundo depois, ela torna a me olhar.
Lágrimas enchem meus olhos. Eu encaro as luzes do teto
para impedi-las de cair.

Quando torno a olhar para a frente, ela está diante de mim.

------◆------

Yahaira & Camino

No passado, eu nunca tive medo de voar.

Mas hoje, o decolar do avião faz minha barriga doer.
Peguei o assento do meio, & a mulher ao meu lado

manteve a cortina da janela aberta o tempo todo.
Espiei uma vez & vi o enorme oceano azul abaixo de nós.

Depois disso, mantive meus olhos completamente fechados.
Mesmo quando a comissária de bordo perguntou se eu queria suco.

Mesmo quando o homem ao meu lado peidou alto.
Mesmo quando o piloto disse que íamos aterrissar.

& houve um momento quando as rodas tocaram o chão
e meu coração martelou no peito, mas então estávamos desacelerando

& um punhado de passageiros começou a aplaudir.
A velhinha ao meu lado disse em espanhol:

— Não costumam mais fazer isso com frequência. Este deve ser um avião
com dominicanos voltando para casa;

quando o avião tocar o chão, você deve aplaudir ao pousar.
Para dar *gracias a dios. Regrezamos.* — E eu devolvi o sorriso.

------◆-------

Embora eu tenha voado
nos Estados Unidos para diferentes

torneios, esta é a minha primeira vez
em outro país.

No aeroporto, as mensagens
são bilingues.

A fila da imigração é longa,
& eu reviso o formulário que preenchi no avião

com todas as minhas informações.
Eu pago dez dólares por um cartão de turista &

tenho medo de que será rejeitado.
Eu respondo a todas as perguntas

do agente sobre onde vou ficar,
& por que estou aqui.

Seus olhos duros se suavizam um pouco
quando menciono o funeral de meu pai.

Ela escaneia meu passaporte
& quando estou passando pelas portas

aqui. Estou aqui. Estou aqui.
& então vejo, que ela também está.

------◆------

Camino estende a mão & toca a minha bochecha.
— *Te pareces igualito a él.* —

& é verdade que eu sempre me pareci com meu pai.
Mas ela também. Na vida real, não é exatamente como olhar em um espelho.

Seus olhos são claros, cor de avelã, de cílios longos.
Ela é magra como uma supermodelo, enquanto eu tenho mais curvas,

& por um momento eu quero bater nela com força.
Por estar usando meu rosto. Por parecer
uma versão modificada de mim mesma.

Por tão obviamente ser filha de meu pai.
& então a culpa toma conta. Ele a deixou por mim.

Ela disse na chamada de vídeo que ele a chamava de *"Niña linda"*.
& me pergunto o que ele via quando olhava para ela.

Seus olhos estão cheios, mas eu sei que ela não vai chorar. Ela parece
o tipo de garota que consegue fazer os olhos controlarem as lágrimas.

— Você é igualzinha a ele. Exceto pelos olhos.
Papi nunca soube esconder o que sentia,

mas você sabe bem. —
& eu sei que ela quer dizer que toda a raiva que eu sinto

está trancada aqui dentro. Que eu estou inexpressiva.
Do jeito que ficava diante do tabuleiro de xadrez.

— *Nós* somos iguaizinhas a ele.
Você deve ter herdado o tom de pele de sua mãe. —

Ela assente & respira fundo,
a menção da mãe dela acabando com a suavidade de seu rosto.

Ela deixa a mão cair. Nós duas damos um passo para trás.

------◆-------

Sem que eu peça, Camino pega a mochila das minhas mãos
& a pendura no ombro.

Deixamos para trás o frescor do ar-condicionado
& sou imediatamente tomada

por uma umidade pesada & uma enxurrada de movimento.
Por todos os lados, pessoas em vestidos largos & coloridos se abraçam,

bebês se agarram às pernas das mães, & outros adolescentes usando shorts
& bonés andam para lá e para cá vendendo chicletes e balinhas de menta.

Camino passa com facilidade por casais chorando & pais
em direção a um homem magro apoiado em um carro velho.

Ele tem o tipo de sorriso que faria
Papi girar seu grande anel de ouro.

O mesmo anel que ele diria que afundaria no rosto
de qualquer homem que mexesse com sua filha.

Em outras palavras, ele tem cara de confusão. Eu não sorrio de volta.
& ao invés disso, paro de caminhar. — É o nosso táxi? —

Camino dá de ombros. — O táxi não oficial costuma ser mais barato. —
Eu balanço a cabeça para ela & vou andando em direção à fila de táxis.

Aquela com carros marcados & identificados,
onde um velhinho com um sorriso gentil nos ajuda com a minha mala

& segura a porta aberta para que entremos.
A boca de Camino é uma linha fina.

Eu encaro a janela conforme o carro acelera & tento
perguntar a Camino sobre a paisagem.

Ela ri do meu espanhol
& me responde em inglês.

Espero que meu rosto não mostre surpresa
pelo vocabulário & sotaque dela:

Digo, ela soa como uma professora de inglês, com
pronúncia perfeita, mas ela deve ter se esforçado muito

para falar tão fluentemente. Meu espanhol
não é tão bom assim, & é minha primeira língua.

Sinto que estou perdendo para minha irmã   & ainda estamos só no
   começo.

-------◆-------

O taxista para o carro em frente
a uma casa azulada com varanda cercada.

Antes que Camino pegue a carteira,
eu dou alguns dólares ao motorista.

Espero que isso faça Camino se sentir melhor;
não preciso que ela pague. Mas em vez disso

ela pigarreia baixo
& desce do carro sem proferir uma palavra.

Parece que meu dinheiro a ofende.

Há uma mulher agachada no jardim lateral
arrancando algumas ervas pela raiz.

Não consigo imaginar meu pai nesta
casinha aconchegante.

Ele era um homem que amava o luxo.
& esta é uma casa de *barrio*.

Uma boa casa de *barrio*, mas ainda assim
de *barrio*; cachorros vadios andando pelas ruas,

lixo acumulado nas sarjetas.
Lama subindo pelas paredes de pedra da *casita*.

Meu pai odiaria
sujar seus sapatos recém-encerados.

A pequena mulher no jardim se endireita
& quando olha para mim, todas as ervas que ela esteve colhendo

caem de suas mãos. Ela está me encarando, eu acho,
até que percebo que ela está encarando algo atrás de mim.

— *Camino, muchacha del carajo,* o que você fez? —

O corpo da Tía Solana de Camino treme quando ela me abraça.
& eu me inclino para os braços & para o calor dessa mulher que é uma estranha.

Eu quero fazer muitas perguntas,
mas os olhos dela estão molhados quando ela se afasta,

& percebo que quero confrontá-la
pelos pecados que na verdade são de meu pai.

— Onde está sua mãe, *niña?* —
Eu olho para Camino, que indica com um dar de ombros

que estou inteiramente sozinha. Eu massageio o lóbulo da minha orelha.
A Tía de Camino lança um olhar duro a ela antes

de me guiar para dentro da casa como se eu fosse uma velhinha frágil.
Ela me faz sentar numa pequena mesa circular na sala de estar.

Ela coloca uma tigela de *sancocho* diante de mim, com um prato de *concón*.
— Me conte a história toda,

mas antes coma o que sua irmã preparou para você.

-------◆-------

Estou ajudando Camino a colher ervas para o chá,
o ato de pegar as folhas frescas me lembra de Dre.

O cachorro sarnento sentado do lado de fora do portão cheira
as barras de metal. Camino abre o portão para ele,

& o cachorro se acomoda quietamente perto das ervas-daninhas.
— Esse cachorro te segue por aí? — pergunto a ela.

Não digo que Papi não nos deixou ter um cachorro,
embora eu tenha implorado muito e Mami tenha argumentado que seria
    bom para mim.

— Não, Vira Lata não gosta de sair de perto da casa.
Ele não vai para aquele lado. — Ela gesticula para a direita.

— Ali dá em uma rua movimentada. Ele foi atropelado por um carro uma vez,
& acho que isso o fez ter medo de quando há muitos veículos juntos.

Ele gosta daqui porque as crianças da vizinhança
deixam migalhas para ele, & as árvores frutíferas de Tía dão sombra.

O vizinho, Don Mateo, construiu uma casinha de cachorro
com pernas altas para Vira Lata proteger caso a água suba. —

Mas eu percebo que quando Camino vai fechar o portão,
& faz que vai virar à esquerda, o cachorro fica de pé, alerta,

abanando seu rabinho curto.
Camino vê minha sobrancelha erguida & ri.

— Ah sim, se eu estou indo naquela direção, às vezes ele me segue;
ele ama a praia. Ele gosta de perseguir

o ar salgado enquanto eu nado. Quando estamos irritados,
a praia nos acalma, não é, *Latita*? —

Ela é gentil com o cachorro. & eu tenho que desviar o olhar do carinho.
Através do portão eu vejo um homem alto de pé do outro lado da rua,

mas o que traz arrepios à minha pele
é o jeito que ele olha para Camino,

como se quisesse ser o cachorro acariciado por ela,
como se quisesse enterrar os dentes nela.

Eu me viro para apontar para ele,
mas quando ela segue minhas palavras sussurradas

& dedo apontado,
o homem já foi embora.

------◆-------

A noite ainda não terminou quando o telefone da casa toca.
Yahaira & Tía estão sentadas no sofá como velhas amigas,
& sei que meu *"Aló?"* está carregado de sal.

Uma mulher fala rápido & eu só entendo
que ela quer falar com Yahaira.
Ela soa exatamente como eu imaginei que

a outra mulher de meu pai soaria:

mimada, exigente. *Una chica*
completamente *plástica.*
Eu entrego o telefone sem fio & Yahaira ergue uma sobrancelha.

A mulher está gritando antes que ela leve o fone
até a orelha. Tía dá uma batidinha suave nas costas de Yahaira,
& eu simplesmente não aguento. Essa garota não precisa de pena.

Pelo menos ela tem mãe. Pelo menos ela tem escolhas.
Ela foi bem alimentada a vida inteira. Ela claramente é amada.
Aposto que ninguém nunca esqueceu o aniversário dela.

& com os planos para o enterro & a chegada Yahaira,
tenho certeza de que Tía se esqueceu de que em alguns dias
será meu aniversário. Eu tento lutar contra a amargura.

Sei que sou melhor que isso.
Mas também sinto como se minha vida fosse *motoconcho* inclinado
em uma estrada molhada de chuva   acelerando   acelerando
   em direção

a algo maior & mais odioso.

------◆------

Cinquenta e um dias depois

Mami virá para a República Dominicana
amanhã, & ela está irritada.

Aparentemente ela bateu à porta dos Johnson, em pânico,
achando que algo tinha acontecido,

& quando a dra. Johnson perguntou a Dre,
ela ficou em silêncio o quanto pôde,

até que cedeu & contou a verdade.
Para ser sincera, estou surpresa que Dre esperou

tanto. Que ela não ligou para Mami
assim que meu avião decolou.

Talvez ela saiba que há outros
tons além de preto & branco.

Mas mesmo quando Mami grita comigo no telefone,
tudo o que posso sentir é o mais doce alívio.

Ninguém pode me forçar a voltar para casa.

O funeral é em três dias,
depois que os restos mortais forem liberados

& entregues a esta casa.
Três dias para entender a minha irmã,

meu pai,   eu mesma.

------◆-------

Você acredita
em fantasmas?

Que tipo
de pergunta
é essa?

Não sei...
É só que...

É *claro* que eu acredito em fantasmas.
Há espíritos
em todos os lugares.

Você
acredita mesmo?

Qualquer um
que não acredita
es un come mierda.

Mami não
acredita em fantasmas.

Talvez
eles não existam
em Nova York.

Você acha que o fantasma de Papi
vai viver na República Dominicana?

Eu acho que o fantasma dele
viverá
onde o levarmos.

Será que um fantasma pode
estar em dois lugares ao mesmo tempo?

Com certeza,
se for
o fantasma de Papi.

O fantasma de Papi tem
muita prática nisso.

------◆------

Cinquenta e dois dias depois

Já faz um dia inteiro
que eu espero que Mami chegue

& conheço a tia de minha irmã
que insiste que eu a chame de tia...

& observo minha irmã fingir
que não está me observando.

Nada é familiar.

O ventilador de teto zumbindo
ou o gerador que faz barulho.

Os vizinhos que ficam vindo
abraçar Camino & relembrar Papi.

A República Dominicana
é tudo o que eu esperava

& está além de qualquer coisa
que eu pudesse ter imaginado.

Sou acordada da cama
que divido com Camino

por um cara do carro da fruta gritando
mango aguacate tomate.

Na varanda,
quando estou balançando na cadeira

observo as pequenas salamandras
rosa & verde correndo nas paredes azuis.

Eu nunca vi tanta cor;
toda casa tem sua própria pintura aquarela.

O *papaya* que Tía Solana corta para o café da manhã
é macio entre os meus dentes.

Eu tiro várias fotos no meu celular,
mandando tudo para Dre.

Eu não consigo imaginar crescer aqui.

Não posso entender como meu pai

ia & vinha.

------◆------

Tía Solana diz a Camino que ela deveria me mostrar a praia,
& Camino se encolhe como se alguém houvesse erguido uma mão para bater nela.

Eu finjo não notar, mas ela deve ter visto o jeito que minha expressão mudou
porque quando Tía Solana fica de costas, Camino se inclina para mim.

— A praia não é segura. Há um cara rondando lá;
eu não acho que ele seria legal com a gente. —

É a primeira vez que vejo Camino não estar segura de si,
a forma como ela morde o lábio inferior & não me olha nos olhos.

Acho que sei que tipo de cara Camino deve estar descrevendo,
& digo isso a ela. Digo que temos caras sem respeito em Nova York também.

Assim que digo as palavras,
Camino se afasta de mim,

fazendo um barulho de nojo com a garganta.
— Você acha que sabe tudo, Yahaira.

Mas o que você sabe não
é nada. — Ela sai em direção ao quintal,

& eu me pergunto o que ela quer dizer & onde ela aprendeu a julgar
tanto uma pessoa que acabou de conhecer.

Sei que
fui mais dura com Yahaira
do que precisava ser.

Mas ela aparece aqui
depois que eu já vivi minha vida inteira
& quer fingir

que temos muita coisa em comum?
Não é possível que ela conheça
ninguém, ou qualquer situação, como El Cero.

Ela não faz ideia do que significa
ter que abandonar os sonhos por completo.
Ela não sabe.

Porque parece
que todo mundo sempre soube, menos eu
que eu não serei médica.

Nunca serei nada além
de uma garota de um *barrio* pequeno
que ajuda a tia com as ervas.

& isso pode ser toda a minha vida.
& isso terá que ser o suficiente.
Não é isso que faz um sonho ser um sonho?

Cedo ou tarde, você acorda.
Mas essa garota, essa garota pode continuar
vivendo nas nuvens.

------◆------

Quando Mami estaciona em frente à casa
dirigindo um Prius pequenininho; a primeira coisa que eu percebo

é a força com que suas mãos estão agarrando
o volante.

Eu sequer sabia que minha mãe tinha carteira de motorista,
muito menos que a usaria.

Eu tento não recuar & me agarrar a Camino,
embora esteja nervosa.

Mami sai do carro só com uma bolsa,
mas eu vejo uma mala no banco de trás...

ela sai do carro apressada, deixando
a porta do motorista aberta.

Ela corre até mim,
me puxa para um abraço apertado.

& sei que a assustei.
Queria contar a ela que assustei a mim mesma.

Ao meu lado, Camino não se move,
como se fosse feita de mármore.

Minha mãe se afasta de mim &
passa as mãos em seus jeans.

Ela dá à tia de Camino um beijo de olá,
& eu percebo então que elas já se conheciam.

Ma era amiga da mãe de Camino;
provavelmente ela já esteve nesta casa antes.

O cumprimento delas é estranho. & então ela
encara e analisa Camino. & eu posso ver nos olhos dela

que ela percebe o quanto nos parecemos;
esta garota que poderia ter saído do corpo dela,

o quanto nos parecemos com Papi,
nós duas parecendo que poderíamos ter saído do corpo dele.

Ela respira fundo. Eu também.
Eu não sei como minha mãe vai cumprimentar Camino.

Não sei o que ela está sentindo agora.
Quero fazer esse momento ser fácil, mas não sei como.

Mami decide por mim.

Ela se inclina & beija o ar perto da bochecha de Camino:
— Prazer em te conhecer, Camino.

Sei que você não me conhece, & se serve de consolação,
seu pai te amava muito, muito mesmo.

Mami & Tía Solana sentam-se dentro da casinha.
Camino & eu nos balançamos nas cadeiras da varanda.

É estranho estar do lado de fora e ainda assim se sentir presa.
O vime da cadeira de balanço belisca minhas coxas.

As estrelas acima de nós são pedrinhas brilhantes espalhadas,
coladas no tecido escuro e profundo da noite.

Camino me passa o charuto que está fumando.
Eu dou uma pequena tragada & imediatamente começo a tossir.

Ela ri & massageia minhas costas com força.
O sabor dessa coisa *não* é tão bom quanto o cheiro.

— Apenas respire, Yaya. Vai ajudar. —
& de algum lugar que eu não sabia que existia,

a frase aparece como fumaça, na voz de Papi.
Apenas respire, negra, *apenas respire*.

A dor cresce no meu peito,
e um gemido deixa a minha boca.

O soluço passando pelos meus lábios
& carregando consigo um exército de lágrimas. Não consigo parar.

Meu corpo tremendo na cadeira de balanço.
& Camino massageia minhas costas, traçando pequenos círculos.

— Apenas respire, Yaya. *Así*. —
& através das lágrimas,

vejo que os olhos dela estão cheios, prontos para chorar,
mas talvez seja apenas a minha imaginação.

------◆-------

Nunca fui a irmã mais velha de ninguém.
Sequer cresci com um dos vira-latas.
As galinhas que matamos foram para comer & fazer cerimônias,

& eu não dei nome nem as mimei.
Então o sentimento que está sendo impresso no meu coração é estranho.
Essa necessidade de confortar minha irmã triste, que chora.

O que eu sei sobre oferecer conforto?
Sobre me tornar um lugar de consolo?
& mesmo assim, parece que sei muito porque Yaya

vem para os meus braços & molha minha blusa
ao fungar, & eu nem mesmo quero bater
na cabeça dela por estragar uma das minhas melhores blusas.

Cinquenta e três dias depois

Camino & eu andamos até um rio no dia seguinte.
& eu me pergunto como meu pai se dividia & dividia seu amor

& implantou em nós duas algo dele,
porque a garota nada como um golfinho enquanto eu brinco

na água, me segurando em pedras grandes e batendo meu pé.
& me sinto competitiva por um momento, querendo dizer a Camino

que eu acabaria com ela no xadrez se jogássemos uma partida.
Mas sei que isso não importa. Nadar parece ser terapêutico

para Camino. Os ombros dela relaxam, a pele brilha.
É o mais perto da felicidade que a vi sentir desde que cheguei.

Por outro lado, o xadrez nunca me ajudou a liberar o estresse;
xadrez é a definição de estresse. Minha mente lutando

com cada possibilidade & resultado, meus dedos em guerra com as peças,
tentando decidir onde elas devem pousar não chega nem perto da destreza

com que Camino nada de costas. Eu me viro de costas & flutuo
no movimento das águas. É difícil me lembrar que não estou jogando

contra a minha irmã. Estamos no mesmo time, digo a mim mesma.
Mesmo que não acredite nisso de verdade.

------◆-------

Cinquenta e quatro dias depois

A cerimônia que fizemos para Papi em Nova York
não é nada comparado ao que está planejado na República Dominicana.

Tía & Camino organizam uma verdadeira festa.
Mami olha com desaprovação

quando uma banda de homens vestidos de branco aparece com baterias &
tamborins, & é até bom que o cemitério

não seja distante da igreja porque dezenas
& dezenas de pessoas aparecem, até que nós sejamos apenas um vulto,

uma mancha de pessoas vestidas como cinzas,
descendo a rua.

Peguei emprestado de Camino um vestido claro,
& caminhamos de braços dados.

As pessoas cantam músicas que eu não conheço.
Acho que Papi teria amado a agitação que fizemos.

------◆------

no cemitério
o caixão é descido

a terra novamente
dando boas-vindas
uma música para voltar

Mami avança
como se fosse pular

as árvores *caoba*
se inclinam
a madeira brilha

palavras entoadas
eu lambo o suor no meu lábio

Tía balança
para frente & para trás
não consigo segurá-la

minha irmã
agarra minha mão

sinto o aperto dela
& não solto
seguro firme

a terra
aberta

o corpo
de meu pai
preenche o buraco

terra é jogada
sobre o caixão

preenchido
& completo
novamente

mas não mais o mesmo

Tía Solana começa a *novena*, os nove dias de reza,
logo que o corpo é enterrado.

Mami se senta em um canto da casa. Sem rezar. Sem se mover.
Lágrimas caindo uma atrás da outra por suas bochechas,

mas nem um soluço sequer sai da boca dela.
Eu toco o ombro dela uma vez, mas ela está em vigília.

Não consigo imaginar o quão difícil deve ser para ela
estar aqui. Todas as memórias dolorosas que ela deve ter,

todas as que terá depois de hoje. Tento não me sentir
culpada por tê-la feito enfrentar isso. Mas ainda me machuca

ver quão difícil é para ela ver esta casa,
falar com os vizinhos, imaginar esta vida que meu pai teve.

Pessoas vêm de todo o canto para comer a comida
que passamos o dia cozinhando ontem; para girar as contas do rosário

entre os dedos & guiar o espírito de meu pai
para o paraíso. & eu me pergunto onde o espírito dele

esteve durante todo o tempo se só agora é que
estamos oficialmente rezando por ele.

Ele esteve aqui? Ele esteve aqui todo esse tempo?
Ele nos viu lutar com o presente & a maldição que deixou para trás?

Depois da *novena*,
todos os vizinhos
enchem o prato de comida.

Todos comem, exceto a *mami*
de Yahaira. Ela se senta
perto da janela

olhando para o
nada. Até Vira
Lata está mastigando um osso

nos fundos. Eu vou
até ela, mas paro antes de falar.
Sei que estou enrolando.

Sou tão insegura
perto desta mulher.
Que provavelmente queria

que eu nunca tivesse nascido.
Como se ouvisse meus pensamentos,
ela se vira & me encara.

— Notei que você estava
massageando o peito,
& Yahaira me disse que você perdeu peso — digo.

Os olhos dela procuram a filha,
que está ouvindo a velha Juanita
contar uma de suas histórias elaboradas.

Eu me forço a continuar.
Não quero que pareça
que é bajulação.

Mas é tão claro que ela está sofrendo.
Ver isso me machuca. Me
recorda da minha própria dor.

— É só que todos os estudos mostram
que esses são sinais de estresse elevado.
As dores. A perda de apetite.

Enfim, eu te trouxe um prato.
Você devia tentar dormir esta noite.
& se lembrar de respirar fundo. —

Eu espero. Sei que meu tom
é presunçoso
e ela vai me repreender.

Ao invés disso, ela estende a mão
& pega o prato.
Um sorriso suave aparece em seus lábios.

— Ele sempre disse
que você seria uma
ótima médica.

Ele tinha grandes planos para que você
estudasse na Columbia. Ele disse que
assim que você estivesse nos Estados Unidos, ele te queria por perto.

Moramos bem ao lado da universidade,
sabia? — & eu não sei
quem está mais surpresa,

eu, com o futuro que meu
pai planejou sem que eu soubesse,
ou ela, pela revelação.

Eu assinto & me afasto
antes que uma de nós
diga algo mais. Parece

que chegamos
a um ponto de paz,
& eu quero que ela tenha

esta lembrança
quando tudo estiver
resolvido.

Você devia parar de fumar esses charutos.
Onde é que você os consegue?

                                        Tía os usa
                              nas cerimônias dela
                        & sempre tem alguns em casa.

Cerimônias?
Que cerimônias?

                        Ah, garota, você tem muito a aprender
                                  sobre este lado da família.
                  Você nunca se perguntou sobre as contas que Papi usava?

Ele não usava joias,
a não ser seu anel.

                                    É como se ele fosse dois
                            homens completamente diferentes.
                          É como se ele se dividisse em dois.

É como se ele se estendesse
pelo Atlântico.

                              Nunca totalmente aqui, nem lá.
                                    Um pé em cada país.

            Ni aquí ni allá.

------◆-------

Quando os *vecinos* vão embora,
já passou das onze.

Mami vai tomar banho, resmungando
sobre dormir na casa que seu marido

dividiu com outra mulher.
Ela queria ficar em um hotel, mas eu me recusei a sair.

& ela se recusou a me deixar.
Camino & eu estamos na varanda

sentadas nas cadeiras de balanço quando ela comenta
que nuvens de tempestade estão se formando.

É então que Tía Solana se aproxima

& dá a Camino um abraço muito, muito longo.
— *Lo siento* que tenha passado

assim seu aniversário. —
É como se um raio tivesse me atingido.

— Hoje é seu aniversário?
Por que vocês planejaram o enterro para hoje? —

Camino dá de ombros
& se aconchega na mão de Tía.

Não acredito que apareci de mãos vazias
no aniversário da minha irmã.

Vou até o quarto que Camino está dividindo comigo
& reviro minha mala.

Tenho um pacote de chicletes, alguns produtos
de cabelo que talvez ela goste, meus documentos,

os documentos de Papi que Camino talvez queira algum dia,
mas nada que eu possa dar de presente.

------◆------

À meia-noite, será o fim do meu aniversário
& do dia em que Papi foi enterrado.
Os olhos de Yahaira estão inchados de tanto chorar

& sei que ela está preocupada
que nosso relacionamento se tornará outra coisa
que precisaremos lamentar & enterrar.

Às vezes, olho para ela & me dou conta
de que ela é a única pessoa que entende como eu me sinto,
mas ela também é a raiz da minha mágoa.

A mãe dela mal me olhou o dia todo,
& sei que terei que seguir com o meu plano.
Completei dezessete anos hoje.

Yahaira me diz que está indo dormir.
A mãe dela & Tía já se recolheram
no quarto que estão dividindo.

A mãe dela pareceu confusa o dia todo,
como um *gallo* que dormiu a manhã inteira.
Mas antes de ir dormir, ela lembra Yahaira

que comprou passagens para que elas voltem para casa em três dias.
Penso na partida: como minha irmã ficou com o dinheiro.
Como a esposa de meu pai ficou com uma certidão de casamento válida.

& como, em alguns dias,
as duas tentarão me deixar.
É cansativo ter que continuar tentando perdoar um pai

que não está mais aqui.

------◆-------

Entro na casa. Tenho a impressão de que Camino quer ficar sozinha.
Na sala de estar, paro em frente ao altar.

Mami & eu estivemos ignorando o altar no canto.
Não sei muito sobre Santos e ancestrais, apenas os rumores

de sacrifícios de galinhas & o que tem a ver com vudu.
Nem sei se é mesmo isso.

Camino chamou de outro nome,
& diz que as rezas & sacrifícios

são importantes para ter um relacionamento com os Santos,
ter um relacionamento com aqueles que abrem os caminhos,

abrem as portas para que possamos avançar,
para que possamos passar.

Camino ou Tía colocou uma pequena oferenda de rum &
pedaços de coco, milho assado em um pratinho.

Não consigo imaginar meu pai ajoelhando
ou rezando diante deste altar. & mesmo assim,

penso sobre a moeda de prata que ele sempre carregava no bolso
& como há uma igualzinha aqui no altar.

Penso sobre como ele sempre dizia algo
sobre *San* Antônio, & aquela ali não é a imagem dele perto da porta?

Meu pai escondeu essa parte dele dentro de seus bolsos,
mas mesmo assim saía pelas costuras   eu só nunca prestei atenção.

Com cuidado, pego a moldura com a foto dele, levanto a vela.
Mami decidiu que voltaremos para casa em três dias.

Colado à parte de trás da moldura há um envelope com dinheiro.
Me pergunto se é o dinheiro que enviei semana passada. É com isso que Camino

sobreviverá?

------◆-------

No quarto que dividimos,
a luz da lua espia por entre as nuvens de chuva,
& por um momento a luz brilha no rosto negro de Yahaira.

Vejo quão linda ela é, minha quase gêmea.
Me sinto como um peixe que Tía compra em *el mercado*: esviscerado.
Com a minha espinha puxada para fora do corpo.

Quando tenho certeza de que Yahaira está roncando baixinho,
pego a mochila dela. Procurando.
Mas antes que eu encontre o que quero,

lá, no fundo, uma certidão de casamento.
Uma com o nome de minha mãe. Datado
depois que Yahaira & eu nascemos.

A família dela sempre foi a primeira.
A família de verdade, que eu interrompi.
Quero desabar no chão. Quero amassar o documento.

Em vez disso, eu rasgo.

Todas as coisas estúpidas que meu pai fez, mas nunca disse.
Todos esses segredos & mistérios que ele guardou.
Todos esses papéis, papéis, papéis.

Talvez eu possa transformar esses restos rasgados
em uma *yola* para navegar pelo Atlântico.
Talvez eu possa amarrar essas palavras em uma corda

que possa usar para chegar aos Estados Unidos. Não tenho como pagar a escola,
ou a conta de luz,   ou El Cero   com os arrependimentos
   de um homem velho.
Lá se vai a última coisa que eu tinha dele.

Eu pego o que realmente queria   & saio.

-------◆-------

Eu acordo. Estou sozinha. & embora nada
tenha mudado durante a noite, algo parece estranho.

Lá fora, o tamborilar da chuva atinge a terra molhada
& eu quero deixar que embale meu sono, mas me levanto.

Não consigo me livrar da sensação de que há algo errado. No chão,
meio escondido debaixo da cama, está a certidão de casamento

que eu trouxe comigo, rasgada.
Pensei que Camino pudesse querê-la.

Estava nos fundos da minha mochila.

Percebo que não conheço minha irmã nem um pouco.

Se fosse Dre, eu saberia como
colocar meus braços ao redor dela & abraçá-la até que a raiva se fosse.

Se fosse um jogador principiante em um jogo perdido,
eu saberia que pérola de sabedoria

precisaria oferecer. Mas é Camino.

Sei que se eu fosse ela
Não seria isso

o que eu procuraria.

------◆-------

Sou silenciosa ao deixar a casa.
Seguro as lágrimas.
Ficou claro para mim desde o começo

que era assim que deveria acabar.
O bilhete rabiscado às pressas
que escrevi para Tía está no altar,

o primeiro lugar que sei que ela procurará
conforto quando perceber
que eu fui embora.

É de madrugada,
cedo demais para começar
a andar os seis quilômetros e meio.

Vira Lata choraminga aos meus pés,
& eu faço um carinho atrás da orelha dele.
Há um último lugar que preciso ver

antes de partir.

Não estou vestida adequadamente para viajar.
Quando chegar ao aeroporto de manhã,
sei que chamarei atenção:

sem mala, sem mochila, sem acompanhante.
Só tenho minha bolsa, o dinheiro,
& o presente que Yahaira não sabe que me deu.

Terei que subornar alguém para comprar uma passagem para mim;
terei que subornar alguém para fingir ser meu
parente. Direi que essa pessoa é uma tia ou um tio,

explicarei que meus pais estão mortos.
É possível que eu seja abordada se os agentes decidirem
fazer perguntas a mais. Tento não pensar nisso.

Certamente não estou vestida para a praia
usando tênis & calça jeans,
meu cabelo preso para parecer com o da minha irmã.

Mas tive que vir aqui,
até à beira da água.
Até a areia que sempre me abraçou forte.

Minha mãe ficava aqui comigo,
& olhava para a imensidão enquanto me dizia para acenar
para meu pai.

Era aqui que minha mãe me trazia
para estender uma canga e fazer uma refeição
com pão macio & queijo duro.

Este pedaço de terra infinita
é onde ela segurava minhas mãos
& nós dançávamos ao som de música ao vivo

que vinha do resort.
De repente, percebo que estou chorando.
Quando o sol nascer, preciso estar controlada,

mas no brilho da noite,
eu digo adeus à minha mãe,
à minha terra natal,

quando a chuva começa a cair.

Um barulho nos galhos
faz os pelos da minha nuca arrepiarem.
Não.   Não.   Não.

Como ele sabia que eu estava aqui?
Como ele sempre sabe que eu estou aqui?
Ele deve ter ficado observando   todo esse tempo.

— Sua irmã, ela se parece com você.
Mas tem todo aquele jeito de *americana*.
Me pergunto se posso conhecê-la? —

Eu o ignoro & me afasto dele.
Aos meus pés, Vira Lata começa a rosnar.
A chuva não parece mais tão gentil.

Digo a mim mesma que a chuva é o motivo
de eu estar tremendo. & não a ameaça a Yahaira.
& não El Cero estar aqui. Atrapalhando a minha partida.

Posso imaginar o que ele vê em mim:
uma garota trêmula usando tênis & jeans.
Dentro da bolsa que eu seguro firme

está a única chave da liberdade que me pertence.
Isso, um pequeno estojo de maquiagem,
& o passaporte de Yahaira.

O resto deixei para trás com o bilhete.
Dinheiro para Tía & Carline.
Uma explicação de por que precisei partir.

El Cero se aproxima, & aperto a bolsa com mais força.
Ele está me fazendo uma pergunta, mas sua voz está distante.
Não quero que ele saiba quanto estou carregando,

mas talvez eu consiga amenizar a situação.
— Eu tenho dinheiro. Te pagarei o que meu pai devia.
Metade agora & metade amanhã? Vamos resolver. —

Não quero deixá-lo com raiva.
Quero manter meus segredos comigo.
Dou um passo para trás para me afastar dele.

Ele esfrega um dedo no lábio inferior.
— Não sei. Eu tinha planos para você.
Mas talvez o dinheiro seja suficiente.

Ele me devia dois mil dólares
por este ano. — Eu toco
a alça da minha bolsa, & ele ergue uma sobrancelha.

— Não me diga, Camino,
que você está andando por aí
com todo esse dinheiro? —

Minhas mãos tremem na bolsa
enquanto eu tento adivinhar a quantidade certa
de notas para me tirar daqui.

Meu coração bate forte no peito.
Agarro o que acho ser suficiente
& empurro para ele.

— Aqui. Isso deve pagar metade. —
Eu rapidamente calculo quanta coisa
terei que cortar para fazer o que restou durar.

Começo a me afastar em direção à árvore,
preparada para correr,
mas El Cero me agarra pela manga.

Ele olha para os dólares
como se fossem uma charada
em uma língua que ele não conhece.

— Por que você tem todo esse dinheiro?
Você ia se encontrar com alguém aqui?
Por que está segurando a bolsa? Tem mais? —

Ele agarra a bolsa
& embora eu agarre de volta com força
ele é maior & mais forte, & consegue tirá-la de mim.

Ele passa a mão pela minha bolsa,
tirando o passaporte gravado com dourado,
o envelope branco

que contém todo o meu futuro.

— Ora, Caminito... Parece que você
estava tentando fugir.
Sem pagar a dívida. Tsc. Tsc. —

Tento pegar o passaporte & o dinheiro,
mas ele segura ambos acima da cabeça
como se fosse tudo um jogo, uma desavença de escola.

Vira Lata deve sentir meu desconforto
porque dá um latido longo
antes de correr até as árvores.

— Camino　　　　Camino　　　　resolveu dar um jeito.
Tentou ir embora sem pagar.
Tentou ir embora sem se despedir. —

As nuvens da tempestade acima de nós
cobrem a lua.
Trovões soam à distância, &

eu seco furiosamente a água no meu rosto.
A maré subirá rapidamente.
Mas não tão rápido quanto a minha raiva.

— Você é um lixo de merda.
Un grosero, você não vale
nada.

Não sei o que te fez
virar esse monstro.
Mas aposto que sua irmã está se revirando no túmulo. —

As palavras saem de uma vez,
mas não parece que sou eu quem as diz.
Quando o raio cai, vejo que o rosto de El Cero

se tornou uma máscara horrível.
Ele me agarra pela blusa,
me fazendo ficar nas pontas dos meus pés;

saliva sai da boca dele
quando grita diretamente no meu rosto.
— Nunca mencione ela,

sua vadia arrogante e asquerosa. —
& quando ele me empurra,
meu pé torce dolorosamente.

El Cero enfia o dinheiro &
meu passaporte — o passaporte de Yahaira —
no bolso da calça.

Enquanto soam os trovões,
eu reúno os pedaços da certidão de casamento.

Sei pela calmaria da casa que Camino não está aqui.
Não sei as regras da irmandade.

Será que eu deveria ir procurá-la?
Deveria deixá-la em paz?

Pensar que ela pode estar sozinha & com raiva
na noite em que deveria estar celebrando o aniversário

me faz levantar & ir até a sala de estar. Olho para o altar.
Papi, se você pode me ouvir, nos ajude. Ao menos uma vez.

Um envelope dobrado com o nome de Tía
está no altar. Não me lembro de ter visto antes.

Do lado de fora, o latido insistente do cachorro
                          chama a minha atenção.

Ele soa como se alguém estivesse tentando atacá-lo,
mas quando espio pelas cortinas, vejo que ele está latindo para a casa.

Não consigo ignorar a sensação de que minha irmã precisa de mim.
& pela primeira vez na minha vida, estou aqui para ajudar.

Quando me viro para pegar meu celular para ver se consigo encontrá-la,
bato contra uma luminária, que acaba caindo.

Do quarto que estão dividindo,
ouço barulho & então Mami & Tía

saem às pressas.
Mas o rosto negro de Tía está completamente pálido.

Ela leva a mão à garganta.
— *¿Y mi Camino? ¿Adónde está Camino?*

------◆-------

A terra rodopia,
gira & gira
como se dançasse *palo*[5]

em transe. Avançar
através, a lama,
se aproxima

se aproxima da árvore
acende um fósforo
eu quero me separar

de mim

um homem ri
eu estou rindo?
ele se ajoelha na lama ao meu lado.

estômago revirado
rastejando
pele   escorregadia

empurro
o chuto para longe
arranho os olhos

boca   aberta
grito   grito   grito
por ajuda

------◆------

---

5 O palo é um ritmo musical sacro da República Dominicana, geralmente tocado em cerimônias religiosas. (N.T.)

Tía está tremendo
quando eu a levo até uma cadeira.

Mami pega
um copo d'água para ela.

Vi programas policiais o suficiente
para saber que precisamos tentar pensar

para onde Camino
pode ter ido.

— Enviei dinheiro para ela.
Há alguns dias. —

Mami arfa,
mas não diz nada.

— Talvez ela tenha
ido para a capital? — pergunto a Tía.

Ela nega com um acenar da mão.
— Não temos família aqui. —

Embora eu sinta que a esteja traindo,
digo: — Meu passaporte sumiu. —

Ouvindo isso, Mami se aproxima.
— Ela quer tentar se passar por você.

Solana, precisamos ir para o aeroporto. —

Mas Tía torna a balançar a cabeça.
— Só abre às quatro da manhã.

Camino é impetuosa,
mas não caminharia pela estrada

a essa hora da noite;
ela esperaria pelo sol.

Talvez a amiga dela, Carline.
Pode ser que ela tenha ido para lá. —

Mas desta vez sou eu
que discordo.

— Ela ama a melhor amiga dela
como se fosse sua boneca favorita. Trata Carline como se ela fosse frágil.

Camino não iria até ela.
Não a faria cúmplice disso. —

Nós três nos encaramos.
Até que ouvimos um choramingo do lado de fora da porta.

O cachorro deve ter conseguido passar
por debaixo da cerca.

Tía & eu nos encaramos
na mesma hora

Só há um lugar
para onde Camino iria.

Mami para o carro o mais rápido que pode,
mas eu saio pela porta antes mesmo que ela pare de vez;

corro através das árvores em direção à água,
ouço um gemido   como se alguém estivesse com dor.

Quando as árvores acabam,
vejo Camino no chão lutando contra

um homem que se ajoelha sobre ela;
ela o chuta na barriga enquanto ele tenta mantê-la quieta.

O céu abriu;
chuva pinga no rosto dela.

Eles ainda não me viram.

É a primeira vez que estou feliz por ser mais alta & maior
que Camino enquanto corro &

chegando por trás deles, empurro o homem com força
para que ele caia na areia.

Ele posiciona o ombro, & sei que
ele quer me derrubar.

Eu me ajoelho para cobrir o corpo encolhido
& trêmulo de Camino. Desajeitadamente, ela se agarra à minha cintura.

A blusa dela está rasgada, aberta.
& como o cão latindo sem parar ao nosso lado,

eu mostro os dentes para o homem.

— Vocês são irmãs há o quê, dois dias?
É melhor ficar fora disso. —

Eu fecho meus punhos do jeito que Papi me ensinou, com os polegares
    para fora.
— A partir de agora, você vai deixar Camino em paz. —

O rosto dele se transforma com a raiva.
Ele corre em minha direção, mas os faróis invadem a escuridão.

------◆------

O rosto de minha mãe espia por entre as árvores
enquanto Tía Solana corre pela clareira,

o enorme facão brilhando em sua mão.
Tenho certeza de que ela sabe exatamente como usá-lo.

O homem dá um passo para trás,
tentando parecer inocente.

Ele vai tentar contar uma mentira para sair dessa,
sei disso.

Mesmo com a chuva, com o barulho distante dos raios,
posso ouvir Tía rezando, sua voz suave atravessando todo o barulho.

Ela se aproxima & fica ao meu lado,
murmurando baixinho.

Eu me agacho para ajudar Camino a ficar de pé.
Seguro ela a mim com meu braço ao redor de sua cintura.

Camino está estranhamente calada.
Quero sussurrar no ouvido dela:

Eu sei, eu sei. Eu conheço esse medo. Você está bem.
Estou aqui. Estou com você.

& o sentimento é tão forte e me sufoca
tanto que eu não consigo falar.

A luz do carro se apaga,
& Mami sai.

Ela não carrega nenhum tipo de arma,
nada além de seu celular & os *rolitos* no cabelo.

Mas qualquer um que a visse pensaria que ela está armada até os dentes
por conta da forma como ela endireita a postura,

& em seu porte é possível ver
que ela é a filha de um general.

Ela olha bem na cara do homem.

— Esta garota não existe mais para você.
Ela não mora aqui. Você não conseguirá chegar perto dela. —

A reza de Tía fica mais alta, & ela bate o facão
com força contra a palma da mão. Atrás de mim, Camino chora.

Do oceano, o vento se agita.
Bate no colarinho da camisa do homem.

Agora, Tía reza em voz alta, palavras que eu não conheço,
mas   conheço. Eu as sinto em meu peito.

É como se ela tivesse silenciado a noite, tudo,
exceto o vento, & o vento tem sua própria voz,

& se juntou à nossa. Bufa no cabelo
& nas roupas do homem. & aqui estamos: Tía como um bispo,

cortando com seu enorme facão. Mami, o cavalo. Meu corpo
na frente do corpo da minha irmã: rainhas.

Papi, que eu sei que também está aqui. Ele
construiu o castelo que sempre prometeu.

Mesmo o vento, & a chuva, & a noite:
mesmo a luz: tudo está ao nosso lado.

Nós estamos aqui por ela. Por todas nós.
Com punhos fechados & maxilares trincados...

Protegeremos Camino custe o que custar.
Protegeremos uma à outra.

O homem leva a mão até o bolso de trás,
& eu sinto o medo no corpo de Camino.

Mas Mami o interrompe com palavras duras.
— É melhor não mexer comigo.

Não sou uma qualquer. Você não poderá se esconder
se minha família for atrás de você.

Nem sequer pense nisso. —
Ao meu lado, Camino encontra sua voz.

— Me devolva o que você pegou. Devolva tudo. —

& quando Tía sibila entredentes,
o homem joga um pacote na areia.

Mantendo Camino atrás de mim, eu me abaixo para pegá-lo.
Não sei o que o convenceu:

a crença confiante de Mami sobre quem ela é
& seu próprio poder, a clara determinação de Tía

de matá-lo se for preciso, ou a ideia de
que nada disso vale a pena.

Ficamos ali. Camino está chorando atrás de mim
& eu tremo enquanto seguro os braços

que ela usa para agarrar minha cintura.
No momento em que ele dá as costas,

o rosto de Mami se enche de alívio.
Ela pressiona uma mão trêmula contra a boca

antes de me mandar entrar no carro.
Apenas Tía não se mexe, inabalável enquanto

encara o homem que anda em direção às luzes do resort.
Por um momento, temo que ela vá persegui-lo,

mas, como se eu tivesse dito em voz alta, ela me olha & pisca para mim.
— Todo mundo tem o que merece mais cedo ou mais tarde, *mi'ja*. —

Com brilho nos olhos, vestidas para sonhar,
andamos de volta para o carro.

Eu me seguro
        à pessoa
aquela

que veio
        me buscar
quando eu olho

para ela, vejo luzes
        um brilho azul intenso
detrás dela

eu ouço um cantarolar
        que parece vir
do próprio vento

ou como se as nuvens
        rodopiassem dentro de mim
me instruindo

a respirar
        uma luz roxa-preta
vermelha-vinho

acaricia o meu rosto
        elas estão aqui
para me buscar

elas estão aqui
        eu me seguro mais perto
de   Yahaira? & atrás dela

a luz azul se torna
        uma mulher, vestida de larimar[6].
Faca afiada em mãos,

ela sorri   toda feita de dentes.
        O cantarolar para,
Tía, eu percebo, a voz de Tía

chamou os Santos.
        A voz de Tía veio
para me buscar

---

6 Patrimônio da República Dominicana, larimar é uma pedra semipreciosa branco-azulada. Diz-se significar evolução espiritual. (N.T.)

todas essas mulheres
aqui para me levar
para casa.

-------◆-------

Em casa, eu ajudo Camino a despir
sua blusa rasgada. Tento fazer o mesmo com os jeans,

mas isso apenas a faz chorar mais.
Então eu tiro os sapatos dela & a ajudo a se sentar na cama.

Corro para o banheiro e pego uma toalha
que uso para limpar a lama dos pés dela.

Assim que se deita,
ela rola para vomitar no chão.

— Choque — diz Tía. — Quem sabe há quanto tempo
ela estava na chuva tentando achar um jeito de fugir. —

Tía prepara uma xícara de chá. Com cuidado, se senta ao lado de Camino,
fazendo-a tomar pequenos goles enquanto acaricia-lhe os cabelos.

Quero ajudar Tía, mas não tenho ideia do que fazer.
& então subo na cama ao lado de Camino, do outro lado dela,

apoio meu queixo em seu ombro.
Abraço sua cintura.

Quero que ela saiba   que está segura.

Estou entre sonhos
em um deles, Yahaira
se enrola em mim

como uma daquelas figueiras brancas.
Eu fantasio que ela é aquela árvore
me absorvendo   quero dizer a ela

que sinto muito   quero dizer a ela
que ela é bem-vinda,   mas
antes que eu consega dizer

acordo em outro sonho
neste, o rosto de Tía
está perto do meu

o rosto dela está coberto de lágrimas
eu sinto o perfume cálido dela de
camomila & mel

sinto suas mãos na minha bochecha
sou dela sou dela sou dela
ela diz & ela está certa

sonho que meu pai
está sentado no canto da cama
seu peso

no colchão

                        no meu coração

                                        a cabeça nas mãos

ele parece um velho
ele não deveria estar aqui
ele se foi   ele se foi?

Quando acordo pela última vez,
o sol entra pela janela
Yahaira está entrelaçada a mim

posso sentir o coração dela em minhas costas
estou suando   & quero me afastar
quero me enterrar na segurança.

Da cozinha, ouço os passos suaves de Tía desacelerarem
mesmo de lá, ela sabe que estou acordada.

Eu esfrego meus olhos mais uma vez

porque não sei dizer se há uma silhueta
no canto ou se é só uma pilha de roupas molhadas,

mas, quando cerro os olhos, vejo

que a mãe de Yahaira está dormindo em uma cadeira.

------◆------

Cinquenta e cinco dias depois

Na manhã seguinte, encontro Mami na mesinha
em frente aos Santos, tomando café.

Não me sento antes de falar.

— Ela precisa voltar conosco. Não porque
é o que Papi queria, mas porque é o que ela mais precisa.

O que nós mais precisamos. — Mami continua olhando para a frente.
Os dedos esfregando a borda lisa da xícara.

Mami não responde.
Ela termina o café e se levanta.

Ela pega a bolsa & sai.
Há tanta coisa que eu ainda preciso dizer:

Que talvez um marido ruim possa ser um bom pai.
Que talvez ele tenha tentado ser o melhor que podia.

Que ele a machucou   e foi pego   não há desculpas.
Mas ele não está aqui. Ele não está aqui. Somos tudo o que sobrou.

Camino sai do quarto parecendo
que foi atropelada por um trem.

Sei que o orgulho de Camino é como goma de passar roupas,
& ela a espalha sobre si mesma até endurecer sua postura.

Ela não contou a ninguém sobre a dívida com a escola.
Ela não contou a ninguém sobre o homem que a persegue.

Todo esse tempo ela engoliu as palavras como se fossem pílulas amargas
sem perceber que eram veneno.

Não sei o que vai acontecer agora.
Mas eu não posso   não vou   ir embora sem ela.

------◆-------

A mãe de Yahaira
volta para a casa
depois do meio do dia.

& por algum motivo,
estou esperando um sermão
sobre como eu agi irresponsavelmente:

como eu roubei da filha dela,
como eu preciso devolver o dinheiro,
como eu não sou uma irmã adequada para a filha dela.

Eu quase desejo que ela diga
qualquer uma dessas coisas
para que eu possa soltar todas as odiosas coisas

que quero usar como resposta.
Mas a mãe de Yahaira não diz nada.
Ela se senta na cadeira de balanço ao lado da minha

& nossas cadeiras rangedoras
conversam entre si.
Eu a espio de rabo de olho.

Ela é uma mulher bonita,
mas a pele debaixo de seus olhos
está manchada de exaustão.

Como se sentisse o meu olhar, ela diz:

— Você precisava de uma mãe,
& eu não tinha certeza
se conseguiria assumir esse papel.

Sua mãe & eu éramos amigas, sabe,
fomos grandes, grandes amigas um dia.
Pensei que eu olharia para você

& veria a traição dela em sua pele.
Veria a infidelidade de seu pai em seus olhos.
Fiz isso para me proteger.

Eu era muito mole
quando se tratava do seu pai.
Não queria que te ver me amolecesse mais. —

A mãe de Yahaira tira uma pasta da bolsa.

Entrega-a para mim.
Leio a página rapidamente.
É uma entrevista de emergência para um visto

marcada para daqui três dias.
Levanto a cabeça; as perguntas devem estar
brilhando em meus olhos.

— Conosco. Você virá conosco.
Você não pode ficar aqui.
Aquele homem vai voltar.

Com mais raiva, como sempre acontece.
Não é seguro. Sua Tía concorda.
& é o que seu pai iria querer.

De qualquer forma, a entrevista
estava marcada para o final de agosto. Conversei
com meu primo para garantir que fosse adiantada. —

O que eu quis. O que eu quis.
Por tanto tempo. Quão agridoce
pode ser o sabor   de um sonho realizado.

Será que alguém no mundo quer
deixar seu lar?
A fruta fresca que cai no quintal?

O vizinho que limpou seu nariz?
Há alguém que quer
acreditar que não retornará?

Para o cão que fareja seus pés,
para a cama que guarda a memória de seu corpo?
Há alívio em fingir que é temporário,

que um dia será seguro? Que irei novamente
acenar para o gentil motorista do ônibus;
que segurarei o bebê de Carline antes que cresça

sem me conhecer? Não há palmeiras
em Nova York, não há folhas para me fazer sombra,
para acariciar minhas bochechas como as mãos de minha mãe.

Não há ninguém lá, vivo ou morto,
que me segurou quando criança, que me embalou no colo,
que me alimentou, que limpou meus joelhos quando

caí & os ralei. Aqui, apesar dos pesares,
é o meu lar. & agora eu gostaria de poder ficar. Há alguém que
deseja deixar o lugar que ama?

------◆------

Enquanto Yahaira & a mãe dela cumprem suas tarefas,
eu me junto a Tía na ronda pela vizinhança.
Não vejo El Cero há dias, mas

Tía & eu ficamos de olho.
A última casa que visitamos
é a da mulher com câncer.

Faço um carinho em Vira Lata & ordeno que ele espere do lado de fora.
Estou nervosa com o que encontraremos do outro lado da porta.
Mas quando Tía bate, vejo que ela tem uma chave.

Olho para ela, cheia de perguntas.
— Um dos vizinhos instalou uma tranca;
ele deu cópias da chave para alguns de nós para que possamos entrar & sair.

É mais seguro para ela assim. — Lá dentro, vejo
que os lençóis foram trocados recentemente,
& um vaso perto da janela tem flores do campo.

Coloco minha mão na testa da mulher
& ela se vira para mim.
Quando eu pressiono os dedos em sua barriga

o caroço lá parece ter diminuído.
Balanço a cabeça para Tía; nada disso faz sentido.
Ela aperta minha mão.

Carline vem pela noite.
Ela traz uma caixinha embrulhada
& me deseja feliz aniversário atrasado.

Eu a abraço com força antes de apresentá-la
à mãe de Yahaira; Carline não a conheceu no funeral.
Ela deve estar surpresa, mas não deixa transparecer.

Carline me diz que Luciano está respirando melhor,
& que até chorou pela primeira vez. Os pulmões dele:
mais limpos, mais fortes. Tenho esperança de que ele vai viver.

Não dizemos a palavra *milagro*,
mas sei que, como uma chama,
Tía lavrou um milagre & Carline o cultivou.

Eu aperto a mão dela,
& uma ideia surge na minha cabeça.
Tía não quer sair daqui. Ela diz que é necessária aqui.

Mas ela vai precisar de ajuda quando eu me for,
& ela precisa de sangue novo para ensinar.
A casa de Carline está lotada de pessoas,

mas aqui está uma casa que vai ficar vazia,
& uma aprendizagem para a qual ela seria perfeita.
Ter Nelson pela casa seria útil,

& Tía amaria ter um bebê para ninar
e uma família para alimentar.
Falarei sobre a ideia com Tía amanhã,

os Santos sussurram na minha orelha: *sí mi'ja, sí mi'ja, sí.*

------◆------

A mãe de Yahaira me leva
para a clínica para conseguir um atestado de saúde;
para o cartório de registro civil

para pegar uma cópia da minha certidão de nascimento,
para fazer uma cópia da certidão de casamento dela
para mostrar que legalmente ela é minha madrasta.

Passamos horas no carro alugado,
dirigindo para lá e para cá.
Yahaira está em casa dormindo ou ajudando Tía.

Zoila & eu pouco falamos nessas pequenas viagens,
mas quando estou cantarolando junto de uma música,
ela aumenta o som.

& quando o rosto dela ficou vermelho de calor
na sala de espera da clínica,
usei uma revista para abaná-la.

São estranhos esses laços   & rupturas familiares que compartilhamos.
Mas estamos passando por eles. Com Yahaira
manejando nosso silêncio quando pode. & deixando a mágoa

entre nós se amenizar sozinha quando ela não pode.

-------◆-------

Me visto bem para ir ao consulado em Puerto Plata.
Coloco meu vestido de formatura, que foi o vestido que eu usava para me encontrar
     com o padre
e que agora é meu vestido da entrevista do visto. Estou vestida

de começos & fins. Uma roupa sortuda & sem sorte.
Mas toda vida tem ambos, não é?
Veremos o que este vestido preto me traz hoje.

Zoila está na sala de entrevistas comigo
enquanto o primo dela faz as perguntas.
Quando ele pergunta sobre a escola, digo que quero cursar medicina na Columbia.

O agente do consulado nos diz
que o processo levará alguns dias,
mas ele aperta minha mão com firmeza & dá uma piscadinha para Zoila.

Minha mãe & Camino saem de casa
todos os dias, se preparando para a entrevista do visto.

Eu as deixo passar as horas sem mim.
Não quero que nenhuma delas dependa de mim.

Em vez disso, passo meu tempo no jardim de Tía,
& penso em Dre com seus pés de tomate.

Carline veio aqui duas vezes, uma vez com o bebê
preso ao peito.

É um menino pequeno, & quando eu acariciei sua bochecha
ele abriu os olhos & me encarou.

Isso fez Carline arfar. Ela me disse que o bebê tem cinco semanas,
& que ela teve medo todo esse tempo de que ele não fosse sobreviver.

Mas o olhar firme dele no meu me faz acreditar
que este bebê é um guerreiro & que não vai a lugar algum.

Uma manhã, depois que Mami & Camino saíram no Prius,
fui até a praia. Olhando para os dois lados para garantir

que ninguém me seguia. Embora eu tenha me sentido como se fosse observada,
fui até a beira da água. Eu podia imaginar meu pai aqui.

Este vasto mundo de árvores, & pedras, & água:
um reino que ele comandava. Eu podia imaginá-lo quando menino,

usando *clanchetas* & camiseta, correndo aqui para mergulhar,
& subir nas árvores, & imaginar o tamanho do mundo.

Eu mergulho meus pés na água, com meu rosto tocado pelo sol
& finjo que são as mãos   de meu pai na minha pele

dizendo desculpe   eu te amo   bem-vinda ao lar   adeus.
Eu te perdoo.   Eu te perdoo.   Eu te perdoo.

Dizem as ondas.   Digo eu.

Na noite após a visita ao consulado,
Yahaira diz que tem alguém que quer que eu conheça.
& já que é impossível que ela conheça alguém neste *callejón* que eu não conheça,

sei que ela está falando dos Estados Unidos.
— Estou animada para conhecer seus amigos quando chegarmos lá —
digo educadamente. Desde a noite com El Cero,

tem ficado mais difícil ser sarcástica com ela.

Yahaira balança a cabeça.
— Quero que você a conheça antes que a gente chegue,
& ela quer te conhecer também. Minha namorada, Dre. —

Ela diz isso com firmeza. Me olhando nos olhos.
& sei o que ela está pensando. Que eu vou condená-la
por ser gay. A homossexualidade é complicada aqui.

Eu a encaro de volta. — Vamos fazer uma chamada de vídeo com ela. —
& ela pega o celular, pressiona um nome
na tela de discagem rápida.

Logo, uma garota negra de cabelo curto enche a tela.
Ela sorri com todos os dentes ao ver Yahaira.
— Oi, amor! Duas chamadas em um dia! Que maravilha. —

Yahaira inclina o celular um pouquinho para que a garota & eu fiquemos
    frente a frente.
Surpresa, eu me afasto. Não por causa da garota, Dre.
Mas porque é a primeira vez que eu vejo nossos rostos assim,

lado a lado, quase pressionados um contra o outro.
Eu pigarreio, de repente nervosa; essa garota é alguém
que a minha irmã ama. Se ela não me amar, pode ser que minha irmã
    não me ame também.

— Olá, Dre — eu digo; meu inglês um tanto enferrujado.
Dre responde & me pergunta como eu estou
em um espanhol excelente. Graças a Deus ela fala a minha língua.

Então ela me surpreende ao mudar de lugar.
Eu a sigo pela tela enquanto ela entra em um quarto,
então tira da frente uma grade que cobre uma janela.

Yahaira sussurra para mim: — Ela quer te mostrar algo na
saída de incêndio. Ela ama plantar coisas. —
Quando o corpo que segura o celular passa pela janela,

escuto o barulho dos carros buzinando & das pessoas gritando.
A tela vira e eu vejo uma plantação em um mezanino,
e então as mudinhas verdes apontando para o céu.

O rosto de Dre volta a encher a tela. — Yahaira me contou que
sua tia é uma curandeira & que você ajuda às vezes. Pensei
em começar um jardim de ervas para te ajudar a se sentir mais em casa.

Lágrimas enchem os meus olhos. & eu assinto para Dre.
Então me inclino para Yahaira, fingindo sussurrar em inglês:
— Onde você a encontrou?

& há um clone dela por aí com quem eu possa me casar?

Cinquenta e nove dias depois

Na noite anterior à nossa partida da República Dominicana,
nos sentamos ao redor da mesa,

nós quatro,
comendo *cassava* assada & manteiga.

Vira Lata está sentado aos pés de Tía,
do jeito que faz desde aquela noite na praia.

Mami diz que acha que será bom
se, ao chegarmos em casa,

voltássemos para a terapia.
& sei que a assustou

o quanto as emoções
da perda pesaram em nossos ombros.

O bastante para eu desobedecê-la
do jeito que desobedeci.

O bastante para ela se esquecer
do tipo de mulher que foi um dia.

O bastante para Camino
se atirar em um perigo iminente.

Tía não fala muito,
mas limpa as migalhas

do canto da boca de Camino,
& passa manteiga em um pedaço de *cassava*

que entrega a mim,
como se tivesse me alimentado a vida toda.

------◆------

Sessenta dias depois

No aeroporto
Tía não chora.
Mas eu *não consigo* parar de chorar.

Sou uma criança pequena outra vez
um oceano   uma grande perda de fluxo.
Mas Tía, como Tía sempre foi,

é montanhosa em sua pequena estatura.
& é tudo o que eu preciso:
que ela seja uma pedra firme,

saber que ela estará aqui
quando eu decidir voltar.
Antes que eu me afaste dela

ela toca a corrente de contas
no peito & então toca
o meu coração.

O pulso do coração dela
se alinhando ao meu; um ritmo
que nem o tempo nem o oceano pode descompassar.

& sei que ela está dizendo que está comigo

& os Santos também.
Ela fica no terminal
até eu passar pela segurança.

Acena com a cabeça para mim.
& eu vejo na boca dela:
— *Que Dios te bendiga, mi'ja.* —

Eu paro. Como posso deixá-la?
Ela parece tão pequena   sozinha.
Ela é o meu lar. Eu já estou com saudade.

Ela balança a cabeça,
como se pudesse ler meus pensamentos,
ela me faz calar com um movimento de mãos.

Para a frente. Sempre para a frente.

Eu sopro um beijo para ela

lá do outro lado do linóleo, &
sussurro bençãos bem baixinho,

separo do meu coração
um pedaço de Deus

para ficar com ela.

Sei que ela sempre faz o mesmo por mim.

Conforme o avião da República Dominicana
começa a decolar,

eu procuro a mão de Camino.
Ela está com a cabeça firme

no apoio, os olhos fechados,
rezando.

Mas nossos dedos se entrelaçam,
& eu não solto até
que o piloto fale nos alto-falantes.

Ele nos assegura que o voo será tranquilo.

Nos diz para aproveitar o serviço de bordo.
Meu coração para de bater forte.

Camino abre os olhos,
encarando a água

     interminável & azul debaixo de nós

Digo a ela que quando pousarmos
algumas pessoas talvez batam palmas.

     Ela se vira para mim de sobrancelha erguida.
     Eu imagino que seja um tipo de agradecimento.
     De todas as maneiras como poderia acabar,

não acaba com a gente no céu ou na água,

mas juntas
    em terra firme
       pousando em segurança.

------◆------

Nota da autora

Minha primeira lembrança de visitar a República Dominicana é também minha primeira lembrança de viajar de avião. Fui levada para visitar a família da minha mãe, pessoas que eu tinha conhecido apenas uma vez aos seis meses de idade, e das quais até então, aos oito anos, eu não tinha uma lembrança sequer. Fui acompanhada no voo por uma vizinha, Doña Reina, e embora eu estivesse animada, também estava nervosa, sem ter a família que conhecia por perto. Minha mãe me vestiu formalmente: um vestido de um tecido tipo tweed que causava coceira e um chapelão com um girassol na aba. Isso era importante. O voo me assustava: por que estava no ar há tanto tempo? Se eu dormisse, eles esqueceriam de me tirar do avião? O que aconteceria se caísse?

Meu momento favorito foi quando o avião pousou e os passageiros aplaudiram. Institivamente, me juntei a eles. Mesmo sem saber exatamente por que aplaudíamos, entendi; era um agradecimento a um ser superior por nos permitir chegar em segurança, uma reação à performance do piloto, aplausos para nós mesmos por termos finalmente retornado — eu não sabia naquela época, e não sei agora, o motivo exato para aquela reação espontânea, mas sei que fiquei apaixonada pelas muitas maneiras que os dominicanos celebram a chegada à nossa ilha.

Quando eu tinha treze anos, dois meses e um dia depois do 11 de setembro de 2001, o voo AA587 caiu no Queens, Nova York. Estava a caminho de Santo Domingo, República Dominicana. Duzentos e sessenta pessoas, mais cinco pessoas no chão, morreram. Mais de noventa por cento dos passageiros eram descendentes de dominicanos. Muitos estavam voltando para casa. Isso abalou completamente a comunidade dominicana de Nova York. É o segundo acidente de aviação mais mortal da história dos Estados Unidos.

Houve muita confusão em torno do acidente de novembro. Lembro--me da missa especial realizada na igreja, da perplexidade que meu pai expressou ao ler os jornais dominicanos para obter mais informações, das vigílias à luz de velas realizadas fora dos edifícios onde os passageiros daquele voo moravam. Também me lembro de quão pouco esse acidente foi lembrado quando foi determinado que a causa não foi terrorismo. A rapidez com que a cobertura das notícias parou, como pareceu que a memória da sociedade como um todo havia mudado, embora a memória coletiva da minha comunidade ainda estivesse lutando com a perda.

Com o passar dos anos, voltei aos detalhes daquele voo. Sabendo que eu queria me lembrar. Sabendo que queria uma narrativa maior que rememorasse aquele momento. Minha pesquisa me levou a muitas histórias de indivíduos que estavam voltando à República Dominicana para se aposentar, para abrir supermercados, para ajudar um parente doente, ou celebrar a dispensa do exército. Minha pesquisa também me levou a histórias de pessoas com múltiplas famílias, com enormes segredos, com verdades que foram expostas publicamente depois de suas mortes.

A maioria das famílias é complicada; a maioria dos pais falha em manter sua imagem de heróis para suas crianças. Com *Agora que ele se foi*, eu quis escrever uma história que considera quem importa e merece atenção da imprensa, assim como um retrato mais íntimo do que significa descobrir segredos, descobrir família, descobrir os recônditos de seu próprio caráter diante de uma grande perda – e ganho.

Agradecimentos

Quero agradecer à minha editora, Rosemary Brosnan, e ao meu time fantástico na HarperTeen, incluindo, mas não se limitando a: Courtney Stevenson, Erin Fitzsimmons, Sari Murray, Shona McCarthy, e Ebony LaDelle. Obrigada por me ajudarem a contar histórias que lidam com carinho e amor imenso pela minha comunidade.

Quero agradecer a Joan Paquette por acreditar neste livro, e a Alexandra Machinist pela orientação atenciosa.

Eu tive fantásticos leitores beta que mostraram tanto amor prematuro por esta história que me senti corajosa o suficiente para contá-la. Agradeço à minha melhor amiga, Carid Santos, um milhão de vezes. Ela leu os diversos rascunhos desta história e continuadamente deu exemplos de irmandade que eu quis colocar aqui. Agradecimentos especiais aos leitores Yahaira Castro, Safia Elhillo, Clint Smith, Daniel José Older, Phil Bildner e Limer Batista. Camino e Yahaira são mais verdadeiras por causa de seus olhos perspicazes, corações grandes e amizade. E não posso me esquecer de Ibi Zoboi, que ouviu minha ideia para esta história quando tinha apenas uma personagem principal e disse confiantemente: você precisa dar voz à outra irmã.

Tive duas mães que ajudaram a parir esta história. Obrigada à minha mãe, Rosa, que respondeu todas as perguntas sobre Hora Santas, e cura holística, e *comadronas*, e *curanderas*, e rezou – literalmente rezou – quando contei a ela que tinha travado: a resposta para o bloqueio de escritor, no meu caso, parece ter sido a fé inabalável de minha mãe. E agradecimentos especiais para minha sogra, a sra. Sarah Cannon-Moye, que me ajudou com tantas partes complicadas quando eu estava pronta para atirar meu notebook pela janela. Sua paciência e crença em mim, assim como suas perguntas difíceis, foram essenciais para que eu desatasse os nós da narrativa.

Obrigada à minha família, os Amadis e Acevedos, os Paulinos e Minayas. Obrigada por me dar as boas-vindas a Santo Domingo e por me deixar ser uma de vocês. Agradecimentos especiais às Batistas – conhecer todas vocês aos oito anos foi como encontrar irmãs.

Shakir Amman Cannon-Moye: você é o meu favorito. Obrigada por ficar ao meu lado nas aterrissagens com aplausos e quedas.

Ancestrais, como sempre, eu escrevo a vocês/ para vocês/ com vocês, carregando o máximo de amor e respeito. Obrigada por abrirem tantas portas que me levaram aos meus sonhos mais profundos; prometo continuar passando por elas.

Este livro foi publicado em março de 2021, pela Editora Nacional, impresso pela Gráfica Exklusiva.